Dún an Airgid

ÉILÍS NÍ DHUIBHNE

ÚRSCÉAL • 2008

Cois Life Teoranta
Baile Átha Cliath

Tá Cois Life buíoch de Bhord na Leabhar Gaeilge (Foras na Gaeilge) agus den Chomhairle Ealaíon as a gcúnamh.
An chéad chló 2008 © Éilís Ní Dhuibhne
ISBN 978-1-901176-85-8
Clúdach agus dearadh: Alan Keogh
Clódóirí: Betaprint
www.coislife.ie

1

Tráthnóna Aoine.

Síoscadh na leabhar i Leabharlann Dhún an Airgid.

Corrleathanach á chasadh ag corrléitheoir.

An t-aer marbhánta. Na leabharlannaithe tuirseach. Foighneach.

Ag feitheamh, ag feitheamh, neart á chruinniú acu, roimh thumadh isteach in aoibhneas an deireadh seachtaine.

Tráthnóna Aoine.

An tseachtain ar an dé deiridh. Ag sleamhnú uainn. Leabharlann Dhún an Airgid chomh ciúin le séipéal. Chomh ciúin le tuama. Chomh ciúin le Dún an Óir i ndiaidh an áir, an sé chéad dícheannaithe caite le haill san fharraige, suaimhneas arís ar pháirc an áir.

***

Bhí an mhaidin tar éis a bheith gnóthach go leor. Tháinig lucht na meánscoileanna isteach mar a dhéanadh i gcónaí, maidin Aoine. Líonadh an leabharlann le binnghlór na n-óg – ní raibh sé de nós ag na leabharlannaithe i nDún an Airgid 'éist!' a rá le léitheoir ar bith. Bheadh sé sin ag teacht salach ar spiorad an bhaile nua, an tionscnamh útóipeach seo. Dún an Airgid. Baile a tógadh d'aon ghnó chun go mbeadh a mhuintir saor, sona, agus sásta. Gan stad gan staonadh. An t-am ar fad.

Anois, um thráthnóna, bhí an leabharlann beagnach folamh. Bean amháin ag déanamh taighde ar an idirlíon ar cheann de na ríomhairí. Bean eile ag breathnú ar leabhair a bhain le healaín. Fear ag cíoradh na seilfeanna i rannóg na staire, ag lorg ailt éigin faoi stair na háite nach raibh innéacsaithe i saothar ar bith ach a bhí fíorthábhachtach. Dar leis féin. Seachas an triúr sin ní raibh éinne sa leabharlann ach na leabharlannaithe féin. Gné a bhain le Dún an Airgid ná, cé gur baile é a bhí foirfe, gur fhág gach duine é ag an deireadh seachtaine, dá mb'fhéidir in aon chor. Go háirithe nuair a bhí an aimsir go maith. Agus lá aoibhinn a bhí ann, an Aoine áirithe seo. Bheadh fonn ort a bheith faoin tuath, nó cois farraige, nó áit ar bith ach istigh i lár an bhaile.

Ní raibh sé i gceist ag Laoise Ní Bhroin, an príomhleabharlannaí, dul as baile, áfach, an deireadh seachtaine seo. Bhí cairde léi ag dul go dtí an Cósta Órga, caoga míle ó Dhún an Airgid. Bhí teach samhraidh ag tuismitheoirí duine acu ann, ar aghaidh na farraige amach. Ach bhí fadhbanna ag Laoise. Ní raibh an

2

t-airgead flúirseach aici i láthair na huaire. Bhí sí tar éis teach beag a cheannach bliain go leith ó shin, i mbruachbhaile álainn ar imeall an bhaile. Páirc na Sabhaircíní. Teach gleoite a bhí ann ach is ar éigean a bhí ar a cumas an morgáiste a íoc. Bhí na haisíocaíochtaí ag dul in airde an t-am ar fad. Cé go raibh sí ina príomhleabharlannaí sa chraobhleabharlann seo, agus tuarastal maith aici, bhí uirthi a bheith cúramach leis na pinginí.

Bhí rud amháin cinnte. Bhí Laoise fíorcheanúil *loving* ar a teach agus bhí a haigne déanta suas aici nach ligfeadh sí do rud ar bith í a dhíbirt as. Seachtain ó shin chuir sí fógra ar an idirlíon ag fógairt go raibh lóistín ar fáil sa teach – bhí seomra leapa le spáráil aici.

Nuair a cheannaigh sí an teach ní raibh aon tsúil aici é a roinnt le héinne. Thaitin gach rud a bhain leis an teach léi, ach an rud ba mhó ar bhain sí sásamh as ná an *privacy* príobháideachas. Daoine áirithe, bíonn siad uaigneach má bhíonn cónaí orthu ina n-aonar, ach a mhalairt ar fad a mhothaigh Laoise. Chaith sí laethanta a hóige in institiúid. Bhí daoine eile thart ó mhaidin go hoíche. Anois nuair a dhúisigh sí ar maidin, nuair a shiúil sí síos staighre i gciúnas na maidine, d'ardaigh a croí nuair a d'airigh sí go raibh na seomraí ar fad sa teach fúithi féin. Ba é an mothú céanna é a bhraith sí í ag snámh i bhfíoruisce gléineach. Mhothaigh sí go raibh sí ag snámh tríd an teach, go raibh milseacht agus suaimhneas ann a d'airigh sí ar a cneas. Agus nuair a chuaigh sí abhaile tar éis obair an lae, b'aoibhinn léi go raibh an teach folamh ann chun fáilte a chur roimpi, roimh Laoise amháin, mar dhea. Dhéanadh sí cupán tae, shuíodh sí ar an tolg, agus bhreathnaíodh sí ar an nuacht, chomh teolaí le cearc ghoir. Ach, cé nach raibh fonn uirthi an t-atmaisféar iontach sin a dhíbirt, ní raibh leigheas air. Chaithfí na billí a íoc. Bheadh uirthi seomra a ligean ar cíos, go sealadach, pé scéal é.

'Téigh abhaile más mian leat,' arsa Laoise, lena comhghleacaí, Deirdre Uí Cheallaigh. 'Níl deifir ar bith ormsa. Fanfaidh mé go dtí am scoir.'

Bhí sé a ceathair a chlog. Ag a cúig a dhúnfaí an leabharlann. Bhí Gráinne, an leabharlannaí cúnta eile, imithe cheana féin, ar leathlá. Bhí sí ag obair go páirtaimseartha. Bhí leathlá i gcónaí aici.

''Bhfuil tú cinnte?' arsa Deirdre, go dea-bhéasach. Ach bhí a seaicéad síoda á chur uirthi cheana féin aici.

'Tá an lá go hálainn,' arsa Laoise. 'Tá sé chomh maith agat tairbhe a bhaint as.'

'Sea, nach bhfuil sé tipiciúil go dtosaíonn an ghrian ag taitneamh anois, chomh luath agus a théann na páistí ar ais ar scoil?' arsa Deirdre.

Bhí siad tar éis drochshamhradh a bheith acu, báisteach gach lá. Ach ón gcéad lá de Mheán Fómhair bhí an ghrian ag spalpadh, agus an teirmiméadar go seasta ar a fiche a cúig céim. Peaca ab ea é a bheith laistigh na laethanta seo, a bhí daoine ag rá.

Lig Laoise osna. Níor thaitin an bháisteach léi agus ní raibh ar a cumas dul thar lear ar thóir na gréine, mar a rinne gach duine eile nach mór i nDún an Airgid an samhradh seo. Deirdre ina measc. 'Ach ar a laghad tá samhradh anois againn. Tá tú ag dul go dtí an fharraige don deireadh seachtaine, nach bhfuil? Imigh, a stór, beidh an geimhreadh fada go leor.'

'Ceart go leor. Slán, Laoise, bíodh deireadh seachtaine deas agat féin!'

'Beidh,' arsa Laoise, ag miongháire.

Chaith Laoise an uair an chloig dheireanach ag cur leabhar ar ais ar na seilfeanna, agus ag cur caoi ar an leabharlann. An bhean óg a raibh suim aici i stair na healaíne, bhí trí leabhar mhóra á dtógáil ar iasacht aici. Léitheoir nua ab ea í. Saoirse Ní Ghallchóir an t-ainm a bhí ar a cárta leabharlainne. Thug Laoise faoi deara go raibh cónaí uirthi sa bhruachbhaile céanna léi féin. Na Sabhaircíní. 'Bain sult as na leabhair,' arsa Laoise, ag fágáil slán aici. 'Déanfaidh,' arsa an bhean óg, agus meangadh uirthi. 'Slán go fóill.'

D'imigh sise. D'fhan an bheirt léitheoirí, an bhean a bhí ag obair ar an ríomhaire, ag breathnú ar shuíomhanna gníomhairí taistil, agus an fear a bhí ag scríobh an ailt faoin stair áitiúil, gnóthach i rith an ama, i mbun a chuid taighde. Níor tháinig léitheoir ar bith eile isteach.

Ag a deich chun a cúig tháinig Seán Ó Móráin, an freastalaí, isteach sa seomra léitheoireachta. Bheannaigh sé do Laoise. 'An mbeidh tú ag breathnú ar an gcluiche amárach?' an bheannacht a thug sé. Bhí a fhios aige nach mbeadh, mar ní raibh spéis aici i rugbaí. Ach b'in an modh a bhí aige le tabhairt le fios di go raibh sé ag iarraidh an leabharlann a dhúnadh.

'Táim ag imeacht anois,' arsa Laoise, ag gáire.

'Cuirfidh mé an ruaig orthu siúd,' ar seisean, ag féachaint ar na léitheoirí. 'Níl fágtha ach na gnáthpheacaigh.'

'Na hainniseoirí!' arsa Laoise. 'Ach is ar a leithéid atáimid ag brath. Ní ceart a bheith ag magadh fúthu.'

D'oscail Seán a shúile, go sceiptiúil.

'Go dtí an Luan!' a dúirt sé.

'Tusa freisin,' arsa Laoise, ag gáire.

Bhí sí an-cheanúil ar Sheán. Comhghleacaí den scoth. Fear a bhí ag obair sa leabharlann níos faide ná éinne acu, agus é sa leabharlann seo sula ndearnadh forbairt ar Dhún an Airgid, nuair nach raibh ann ach baile beag gan tábhacht, baile a ngabhadh daoine tríd ar a mbealach go háit éigin eile. Bhí cónaí air i lár an bhaile áit éigin, ar cheann de na seansráideanna, i gceann de na tithe nár díoladh mar theach tábhairne nó mar bhialann. Bhí Seán fós ina chónaí sa teach inar rugadh é, caoga bliain ó shin nó mar sin. Agus bhí sé ag obair mar fhreastalaí agus mar fhear slándála sa leabharlann ó bhí sé sé bliana déag d'aois.

Chuaigh sí amach sa tsráid, ag cur a spéaclaí dorcha uirthi go tapa nuair a bhuail solas na gréine a súile. Bhí an ghrian íseal sa spéir agus solas láidir ag líonadh na sráide ar thaobh na leabharlainne. Sheas sí soicind ar na céimeanna, ag smaoineamh. Bhí dhá uair an chloig ann sula dtiocfadh an bhean sin, Brenda rud éigin, chun labhairt faoin seomra a thógáil ar cíos.

Cad a dhéanfadh sí idir an dá linn?

Bhí cúpla rud le ceannach aici san ollmhargadh. Agus b'fhéidir go mbreathnódh sí ar an stuif nua a bhí acu in *Finlandia*, an siopa troscáin a bhí i lár an bhaile? Ní cheannódh sí aon rud ann ach gheobhadh sí smaointe, agus seans dá n-oibreodh rudaí amach leis an lóistéir nua go mbeadh sé ar acmhainn aici rud éigin a fháil sula i bhfad. Ach ar an lámh eile de, ba thrua an tráthnóna breá a chaitheamh i siopa. Ní dhéanfadh sí é. Bheartaigh sí a cuid a cheannach san ollmhargadh, agus ansin siúl abhaile tríd an bpáirc phoiblí.

Chuaigh sí isteach sa siopa ar dtús. *Marks and Spencer.* Bhí sé timpeall an chúinne ón bpríomhshráid – bhí an ceann mór, agus na hollmhargaí móra eile, san ionad siopadóireachta mór ar imeall an bhaile. Cheannaigh sí cáis, píosa beag bradáin, leitís, agus mionbhuidéal fíona ghil; bhí sé de nós aici béile beag deas a bheith aici ar an Aoine. Ansin chuimhnigh sí ar an mbean a bhí ag teacht chun breathnú ar an seomra, agus chuir paicéad brioscaí sa chiseán. Dhéanfadh sí cupán tae a thairiscint di, agus brioscaí, cé nár ith sí féin brioscaí riamh. Thabharfadh sí an fuílleach isteach go dtí an leabharlann Dé Luain – d'ith Seán Ó Móráin brioscaí le fonn.

Shiúil sí trí *plaza* Dhún an Airgid, agus isteach sa pháirc. Bhí a lán daoine sa *plaza*, ina suí lasmuigh de na caifí agus na tithe tábhairne, ag baint sult as an tráthnóna aoibhinn. Bhreathnaigh roinnt mhaith acu ar Laoise – an bhean ard dhathúil san fheisteas drámata – sciorta bán, blús bán, crios dearg agus cuaráin dhearga. Rith sé le corrdhuine go raibh sí cosúil le réalta sa tseanstíl. Grace Kelly. Jackie Onassis.

Bhí an pháirc ciúin i gcomparáid leis an *plaza*. Cúpla duine ag rith, agus corrdhuine ag siúl mar a bhí Laoise féin. Páirc í a raibh na crainn go tiubh inti, ar nós foraoise, go háirithe ar an imeall. Shiúil sí ar chosán a bhí ag sní trí na crainn ar feadh tamaillín. Bhuail sí le fear amháin – fear a bhí ina shuí faoi scáth crainn, droch-chuma air. Bhí roinnt mhaith de na daoine seo i nDún an Airgid. Ba mhinic a bhíodh ar Laoise an ruaig a chur ar dhuine acu, a rinne iarracht codladh i bpóirse na leabharlainne. Seans go ndearna sí sin leis an bhfear seo. Ar aon nós, bhreathnaigh sé go nimhneach uirthi, dearg-ghráin ina shúile.

'Bitseach,' a dúirt sé, os íseal, ach ard go leor chun go gcloisfeadh sí é.

Bhreathnaigh sí air, iontas uirthi. Agus thosaigh sí ag crith.

Shiúil sí léi go tapa ar an gcosán faoi na crainn, chun éalú uaidh. Ar chúis éigin bhí eagla uirthi rith.

Nuair a shroich sí an phlásóg i lár na páirce, áit a raibh a lán daoine bailithe, timpeall an locha, bhreathnaigh sí siar thar a gualainn.

Ní raibh an fear le feiceáil.

Bhí sé tar éis cúlú i bhfoscadh na gcrann. Nó bhí sé imithe ar fad.

Thosaigh sí ag crith arís. Ag crith agus ag crith. Bhí sí préachta, cé go raibh an ghrian ag scairteadh anuas.

Rith sé léi gur shamhlaigh sí an eachtra ar fad.

Shuigh sí, ar feadh nóiméid, ar bhinse, chun teacht chuici féin.

Bhí daoine flúirseach sa chuid seo den pháirc. Daoine ina luí ar an bhféar ag sú na gréine. Páistí ag seoladh báidíní ar an loch. Páistí ag tabhairt blúirí aráin do na lachain.

Daoine deasa, cosúil léi féin. Gnáthmhuintir Dhún an Airgid.

2

Timpeall an chúinne ó theach Laoise Ní Bhroin, ar Ascaill na Sabhaircíní bhí Saoirse Ní Ghallchóir agus Máirtín Ó Flaithearta ag cur fúthu in árasán.

Ní raibh siad ann ach le coicís cé go raibh Máirtín i nDún an Airgid ó thús na bliana. Chuir sé faoi ar dtús i seomra i dteach a roinn sé le garda eile agus beirt státseirbhíseach a aistríodh go Dún an Airgid ó Bhaile Átha Cliath ar scéim éigin rialtais. Bhí Saoirse fós i nDún Dearg, faoin tuath, ag an am sin, agus thagadh Máirtín ar cuairt chuici ag an deireadh seachtaine, nuair nach raibh sé ar dualgas. Fuair sé ardú céime tamaillín ó shin – cigire a bhí ann anois. Is ansin a bheartaigh sé féin agus Saoirse árasán a cheannach sa bhruachbhaile faiseanta seo, eastát na Sabhaircíní.

Bhí Saoirse chun leanúint ar aghaidh lena cuid oibre féin mar ealaíontóir agus grianghrafadóir. Bhí seomra amháin san árasán cóirithe amach mar stiúideo aici agus bhí post páirtaimseartha faighte aici ag múineadh ealaíne san ionad oideachais do dhaoine fásta. Bhí sí tar éis rang a thabhairt cheana féin: bheadh trí cheardlann in aghaidh na seachtaine aici, dhá cheann istoíche agus ceann amháin um thráthnóna, do na pinsinéirí. Bhí an-éileamh ar ranganna ealaíne i nDún an Airgid.

***

Maidin Shathairn. Codladh go headartha. Sin rud a dhéanadh Máirtín i gcónaí nuair a bhíodh sé saor ón obair. Bhí de bhua aige codladh go ceann dhá uair déag sa turas nuair a d'fhaigheadh sé deis, cé nach gcodlaíodh sé ach ar feadh leath an ama sin de ghnáth, agus é ag obair. Bhí sé nach mór a haon déag a chlog agus é féin agus Saoirse ag glacadh a mbricfeasta ar an mbalcóin bheag a bhí acu, iad ina suí ar chathaoireacha plaisteacha. D'ól Saoirse dhá chupán caife agus d'ith sí píosa aráin. D'ól Máirtín trí chupán caife, d'ith babhla mór leitean, meala ~honey~ agus bainne, agus sé phíosa aráin, móide cáis, liamhás, agus subh. Bhí Saoirse dulta i dtaithí ar a bheith ag féachaint air ag alpadh siar an bhia seo go léir, agus ise ag ól cupán caife agus gloine uisce. Ní raibh éad uirthi a thuilleadh, cé gur chuir sé ionadh uirthi fós, an goile iontach a bhí ag a páirtí. Bhí Máirtín ar nós inneall mór breosla ~fuel~. Chun an fhírinne a rá, dá mba inneall é bheadh an Páirtí Glas ag gearradh cánach air toisc é a bheith ag déanamh dochair don timpeallacht de dheasca an iomarca breosla ~fuel~ a shlogadh. SUV a bhí ann, nuair nach raibh i Saoirse ach Micra beag.

Chuaigh siad ag siopadóireacht san ionad siopadóireachta mór roimh lón. Bhí leathchéad siopa san áit seo, ach níor chaith siad ach uair an chloig ann, san ollmhargadh, *Marks and Spencer*, agus ceann amháin de na siopaí éadaí. Bhí an ghráin ag Máirtín ar shiopaí den saghas sin, a dúirt sé. I ndáiríre bhí an ghráin aige ar gach saghas siopa. Bhí lón acu i gceann de chaifí an ionaid siopadóireachta. Ina dhiaidh sin, d'fhág siad na hearraí a bhí ceannaithe acu sa bhaile agus chuaigh siad amach ag siúl.

'An mbuailfimid síos go dtí an pháirc?' arsa Saoirse.

Bhí Máirtín sásta sin a dhéanamh.

Shiúil siad tríd an mbruachbhaile, síos go dtí an *plaza* i lár an bhaile. Bhí Saoirse i ndea-ghiúmar, ag caint faoi gach a raibh le feiceáil: na tithe, na hárasáin, na crainn.

'Tá cuma iontach ar an áit, nach bhfuil?' a dúirt sí. 'Cé nach bhfuil sé ann ach le bliain nó dhó, tá an chuma air cheana féin go raibh sé riamh anseo. Ta na crainn mór agus aibí cheana féin. Conas a d'éirigh leo é sin a shocrú?'

'Níl a fhios agam,' arsa Máirtín. Níor thug sé aird ar rudaí cosúil le crainn. 'B'fhéidir go raibh siad anseo ar na feirmeacha nó pé rud a bhí ann, agus nár chuir siad isteach orthu nuair a thosaigh an tógáil?'

'B'fhéidir,' arsa Saoirse. 'Ach de ghnáth cuireann siad isteach ar gach rud, leagtar gach rud, nuair a thosaíonn an tógáil.'

'De ghnáth,' arsa Máirtín, ag gáire. 'Ach ní haon ghnátháit é Dún an Airgid. Tá gach rud foirfe anseo, ná dearmad é sin! Táim cinnte go raibh na tógálaithe i bhfad níos cúramaí ná mar a bhíonn de ghnáth. Bhí a fhios acu go raibh an rialtas ag iarraidh na státseirbhísigh a mhealladh ó Bhaile Átha Cliath. Thuig siad go mbeadh crainn aibí de dhíth ó na státseirbhísigh sin.'

'Agus *Marks and Spencer*, agus leabharlann agus amharclann,' arsa Saoirse. 'OK OK, is furasta a bheith ag magadh faoi. Ach tá áthas orm go bhfuaireamar an deis a bheith anseo, san áit iontach seo. D'éirigh leis an bplean.' D'fhéach sí thart timpeall ar an tsráid, ag glioscarnach faoi ghrian an tráthnóna. 'Is aoibhinn an áit é Dún an Airgid.'

'Ara, tá sé ceart go leor,' arsa Máirtín.

'Tá a fhios agam gurbh fhearr leatsa a bheith sa Daingean,' arsa Saoirse.

'Nílim á rá sin in aon chor,' arsa Máirtín. 'Agus ar aon nós ní haon mhaith dom a bheith ag tnúth leis. Ní thabharfar post dom sa Daingean. Is fuath leo ansin mé.' Lig sé osna, ag cuimhneamh ar an Sáirsint Ó Muircheartaigh. 'Táim i bhfad Éireann níos fearr as anseo, maidir le cúrsaí oibre.'

'Braithim sin,' arsa Saoirse. 'Post deas bog!'

Ní róshásta a bhí Máirtín leis an dearcadh sin.

Chroith sé a cheann go féalsúnta. *philosophically*

'Níl fadhbanna anseo go fóill,' ar sé, 'ach fan go bhfeicfidh tú, beidh sula i bhfad. Útóipe atá sa bhaile seo go teoiriciúil, *theoretical* ach ní buan d'Útóipe riamh.' Stad sé, chun béim a chur ar an bpointe seo. Tar éis nóiméid, lean sé ag caint. 'Agus tá siad ag iarraidh go mbeadh gardaí den scoth ann. Tabharfar aitheantas dom anseo, tá a fhios agam.'

'*Right*,' arsa Saoirse, ag súil nach raibh an ceart aige, maidir leis na fadhbanna pé scéal é. D'oir sé go maith di nach raibh Máirtín gnóthach.

Bhí siad sa *plaza* faoin am seo, an ghrian ag taitneamh, agus daoine ag suí thart ag ól agus ag caint, cé nach raibh a oiread daoine ann agus a bhí tráthnóna Dé hAoine.

'Tá sé seo cosúil le háit éigin san Iodáil nó sa Spáinn,' arsa Saoirse, ag féachaint ar an radharc.

'Tá *plaza* acu i dTrá Lí anois,' arsa Máirtín.

'Sea, sea, ach níl sé ar aon dul leis an *plaza* seo,' arsa Saoirse, 'Cuireann sé seo an *plaza* in Sienna i gcuimhne dom. Cad a thugann siad air sin?'

'Ní cuimhin liom,' arsa Máirtín. 'An *pizza* b'fhéidir?'

'An *pizza!* In ainm Dé,' chroith sí a ceann. Thug sí póigín do Mháirtín.

Shiúil siad síos an lána dorcha a cheangail an *plaza* leis an bpáirc.

Bhí na cosáin faoi scáth na gcrann ciúin agus beagáinín gruama, mar a bhí i gcónaí.

Rug Saoirse greim láimhe ar Mháirtín agus iad ag dul tríd an gcuid sin den pháirc.

'Níor mhaith liom teacht anseo im aonar,' a dúirt sí. 'Tá sé uaigneach go maith.'

'Ara, tá,' arsa Máirtín, 'ach creidim nach bhfuil baol ar bith ag baint leis. Tá daoine thart an t-am ar fad.'

Ach ní raibh duine ná deoraí le feiceáil san áit ina raibh siad féin, ar an gcosán, faoi scáth na gcrann.

'Tá, is dócha,' arsa Saoirse, ag breathnú ar an talamh. 'Na daoine a fhágann an stuif seo ina luí thart, mar shampla.'

Le barr a bróige thaispeáin sí carn seansnáthaidí dó, an saghas a úsáideann daoine chun hearóin a instealladh iontu féin.

'Bhuel... cad is féidir linn a dhéanamh? Tá an fhadhb sin i ngach cearn den tír, fiú amháin anseo. De ghnáth ní chuireann an dream sin isteach ar an ngnáthphobal ach an oiread.' arsa Máirtín, cé go raibh a fhios aige nach raibh an fhírinne sa mhéid sin.

Bhain siad an loch amach.

Ba chosúil le tír eile an loch agus an áit ina raibh sé suite.

Tír gheal aoibhinn. Bhí dosaen bád beag seoil ar snámh ar an uisce. Leathdhosaen ealaí, an-chuid lachan. An t-uisce ag damhsa. Páistí ag súgradh agus daoine ag caitheamh blúirí aráin leis na héin.

'Tá faoileáin ann, fiú amháin!' arsa Saoirse. 'Nach aisteach sin, go mbeidís anseo, chomh fada seo ón bhfarraige?'

'Níl sé chomh fada sin ar fad,' arsa Máirtín. Ach bhí an ceart aici. Bhí caoga míle idir Dún an Airgid agus an cósta.

'Ní bhíonn siad anseo go hiondúil,' arsa Saoirse. 'Ní fhaca mé riamh cheana ann iad,'

'Baineann sé leis an aimsir, b'fhéidir,' arsa Máirtín. 'Nuair a bhíonn stoirm ag teacht tagann siad isteach ar an míntír.'

'Tá súil agam nach bhfuil stoirm ag teacht!' arsa Saoirse. 'Tar éis na stoirmeacha ar fad a bhí againn i rith an tsamhraidh. Ba mhaith liom dul ag snámh amárach. An rachaimid go dtí an cósta ar maidin?'

'Más maith leat,' arsa Máirtin.

Go hiondúil, bhí sé sásta pé rud a bhí ag teastáil ó Shaoirse a dhéanamh.

3

Bhí an ghrian fós ag taitneamh maidin Dé Luain nuair a pháirceáil Deirdre Uí Cheallaigh a gluaisteán i gcarrchlós na leabharlainne, áit a raibh saorpháirceáil ag an bhfoireann, agus ag daoine eile a bhí fostaithe in oifigí os cionn na leabharlainne. Bhí sí ar comhintinn le Máirtín Ó Flaithearta maidir le tús na seachtaine: níor thaitin an Luan le Deirdre. Bhí sí caoga bliain d'aois, ina leabharlannaí le nach mór tríocha bliain, agus uaireanta bhraith sí go raibh a saol curtha amú ar fad aici. Bhraith sí mar sin go luath ar an Luan, ach go háirithe. De ghnáth, nuair a thagadh an Mháirt thagadh athrú meoin uirthi; ghlacadh sí leis go raibh saol maith aici, post suimiúil nár chuir an iomarca brú uirthi (b'fhuath léi strus de shaghas ar bith), fear céile deas agus páistí a bhí fásta agus neamhspleách. SUV agus teach breá mór i mBaile an Óir, an bruachbhaile ab fhearr i nDún an Airgid. Níor cheart gearán. Mar sin féin, bhí sí ag tnúth le dul ar pinsean. Seans go ndéanfadh sí sin agus caoga a cúig bliain slán aici. Bhí sé de chead acu sin a dhéanamh, agus bheadh roinnt mhaith seirbhíse aici ar an mbreithlá cuí.

Is ar an mbreithlá sin, agus an pinsean, a bhí sí ag

smaoineamh agus í ag dul isteach sa leabharlann. D'oscail
Seán Ó Móráin an foirgneamh ar leathuair tar éis a hocht
gach maidin, agus thagadh na leabharlannaithe isteach
timpeall a naoi. Thug Deirdre faoi deara nach raibh Laoise le
feiceáil. B'ait léi sin. Cé go raibh oifig bheag dá cuid féin ag
Laoise ba ghnách léi bualadh amach ar an urlár, mar a déarfá,
an chéad rud ar maidin, ag deimhniú go raibh ord agus eagar
ar an áit, na leabhair curtha ar ais ar na seilfeanna agus gach
rud faoi réir do na léitheoirí a thiocfadh isteach ag a deich.

Bheannaigh Deirdre do Sheán, a bhí ag scuabadh an
urláir, agus chuaigh isteach ina pluais bheag féin, rannóg
na leanaí. An chéad rud a rinne sí ná an citeal a chur ar
siúl. Ba bhéas léi cupán caife a ól chun tús a chur leis an
lá, le linn di breathnú ar a ríomhphost. Ní bheadh deis
aici breathnú air arís go dtí tar éis a dó a chlog. Bheadh
ranganna scoile ag teacht isteach an t-am ar fad idir a
deich agus a dó. Ní bheadh soicind saor aici go dtí go
mbeadh na daltaí go léir imithe abhaile.

Bhí sí i lár ríomhlitir a scríobh chuig údar leabhar a bhí
chun cuairt a thabhairt ar an leabharlann ag deireadh na
seachtaine, nuair a tháinig Seán isteach.

'Níl Laoise tagtha,' ar seisean. Chroith sé a cheann.

Bhreathnaigh Deirdre ar an gclog. Ceathrú chun a deich.
Chuir sí púic uirthi féin.

19

'Hm,' a dúirt sí. 'Ní dóigh liom go raibh aon rud le bheith ar siúl aici ar maidin.'

Anois is arís bheadh ar Laoise dul chuig cruinniú as baile. Ach ní dhearna sí sin riamh gan scéal a fhágáil le gach duine sa leabharlann.

'Ní bhíonn sí riamh chomh déanach leis seo,' arsa Seán.

'Is dócha nach bhfuil sí ar fónamh,' arsa Deirdre. 'Cuirfidh sí glaoch orainn ar ball beag. Mura ndéanann glaofaidh mise uirthi ag am lóin.'

Ba léir gur thug an tairiscint sin faoiseamh do Sheán.

'Ní bhíonn sí riamh déanach,' ar sé, arís.

Bhíodh Deirdre déanach go minic agus níor bhain sí sásamh as an bhfírinne seo.

'Ceart go leor,' a dúirt sí, go giorraisc. 'Cuirfidh mé ar an eolas tú a luaithe a chloisim scéala uaithi.'

Lean sí ag scríobh, go dtí gur tháinig an chéad rang scoile isteach.

Bhí sé nach mór a trí a chlog nuair a chuir Deirdre glaoch ar Laoise. Bhí an mhaidin chomh gnóthach sin go ndearna sí dearmad glan air.

Chuir sí glaoch ar an teach ar dtús. Ní bhfuair sí freagra. Ansin ghlaoigh sí ar an bhfón póca. Arís, ní bhfuair sí

freagra ar bith, cé go raibh an fón ag bualadh go breá.
D'fhág sí teachtaireacht ar an bhfón póca. Ansin ghlaoigh
sí arís ar an teach agus d'fhág teachtaireacht glórphoist
ansin freisin.

Chuaigh sí isteach sa stóras chuig Seán.

'Ghlaoigh mé ar Laoise,' a dúirt sí. 'Níl freagra ar bith á
fháil agam. D'fhág mé teachtaireacht.'

Bhí sé míshocair.

'Ar ghlaoigh tú ar a fón póca?' a d'fhiafraigh sé.

'Sea, sea,' arsa Deirdre. 'D'fhág mé teachtaireacht ansin
freisin.'

'Aisteach,' arsa Seán. 'An-aisteach. An ceart dúinn fios a
chur ar na gardaí?'

Chuir sé sin iontas ar Dheirdre.

'Á, ní féidir sin a dhéanamh díreach toisc nach bhfuil
Laoise sa leabharlann,' ar sí. 'Mura dtagann sí roimh
dheireadh na seachtaine, bheadh sé in am againn é sin a
dhéanamh.'

'Ach...'

'D'fhéadfadh sí a bheith in áit ar bith,' a smaoinigh
Deirdre. D'fhéadfadh gnáthbhean óg a bheith in áit ar
bith maidin Luain, ach Laoise, b'in ceist eile.

Ba léir go raibh an smaoineamh ceannann céanna ag rith le Seán. Ach ní dúirt sé faic.

'Mura dtagann sí isteach amárach buailfidh mé amach chuig an teach,' arsa Deirdre. 'Tá cónaí uirthi sna Sabhaircíní, nach bhfuil?'

'Is dócha é,' arsa Seán. Ba dhuine de sheanáitreabhaigh an bhaile é féin. Bhí cónaí air i dteach beag i lár an bhaile, a fágadh ina sheasamh in ainneoin na forbartha ar fad, trí mhíorúilt éigin, nó botún.

'Ní raibh mé riamh ann,' arsa Deirdre. Rud a ghoill uirthi. Shíl sí gur cheart go dtabharfadh Laoise cuireadh di an teach nua sin a fheiceáil. Ach ba dhuine príobháideach í Laoise. Cairdiúil go leor, ach choimeád sí í féin chuici féin.

'Ná mise,' arsa Seán.

'*Right*,' arsa Deirdre.

'Níl sé seo cosúil léi,' arsa Seán, ag croitheadh a chinn arís.

Bhí Seán ag obair go dtí a hocht a chlog an Luan seo. Bhíodh an leabharlann ar oscailt istoíche ar an Luan, ar an Máirt agus ar an gCéadaoin. Bhreathnaigh sé sa leabhar tinrimh foirne san oifig, agus thóg síos uimhir fóin agus seoladh Laoise sular fhág sé an leabharlann. Chomh luath agus a bhain sé an tsráid amach, chuir sé glaoch ar an teach. Ní raibh freagra ar bith. Bhí a fhios aige cá raibh Clós na Sabhaircíní – mar bhí a fhios aige cá raibh gach clós, bóthar, garrán, sraith, lána, agus páirc i nDún an Airgid. Shiúil sé ina treo. Bhí an oíche tite um an dtaca seo, agus bhí na sráideanna agus na bóithre ciúin go leor. Soilse sna tithe agus sna hárasáin, muintir Dhún an Airgid laistigh, ag ligean a scíth, ag ullmhú don Mháirt. Bheadh maidin shaor ag Seán agus ba chuma leis an tsiúlóid bhreise seo istoíche, cé go raibh tuirse air tar éis obair an lae. Bheadh codladh maith aige an lá dar gcionn.

Shiúil sé go tapa agus bhain sé Clós na Sabhaircíní amach laistigh de fiche nóiméad. Uimhir a sé a bhí ar theach Laoise. Teach beag bán, leathscoite. Gairdín beag os a chomhair amach. Gairbhéal sa ghairdín, binse beag gorm agus plandaí i bpotaí. Gairdín deas nach mbeadh an iomarca dua i gceist chun smacht a choimeád air. Bhí ciall ag Laoise.

Bhí solas ar lasadh thuas agus thíos staighre sa teach agus an chuma air go raibh duine éigin laistigh.

Agus Seán ina sheasamh ag an doras bhuail taom cúthaileachta é. Cad a déarfadh sé le Laoise? An gceapfadh sí go raibh sé as a mheabhair, nó – rud ba mheasa – ina spiaire, ag seiceáil uirthi mar seo? B'fhéidir go raibh fear in éineacht léi. Bhí sí dathúil, agus singil, cén fáth nach mbeadh? Chuala sé ceol, cheap sé, ag teacht ó sheomra laistigh. Ach, bhí sé tar éis siúl amach chomh fada seo. Bheadh sé amaideach dul abhaile anois gan bualadh ar an doras. Bheartaigh sé an fhírinne a insint. Bhí Laoise ciallmhar. Thuigfeadh sí.

Bhí clog ar thaobh an dorais. Bhrúigh sé go láidir é.

Níor tharla faic.

Bhrúigh sé arís.

Freagra ar bith ní bhfuair sé.

Bhuail sé ar an doras ansin.

Níor tháinig éinne chuige.

Shiúil sé amach go dtí an cosán agus bhreathnaigh ar an teach. Solas thuas staighre, ach gan na cuirtíní tarraingthe. Bhí siad leath-tharraingthe thíos staighre. Rith sé leis gur rud é sin a rinne daoine nuair a bhí siad as baile. Tharraing siad na cuirtíní leathshlí trasna na fuinneoige. Iarracht ab ea é a chur i gcéill go raibh siad sa bhaile, cé nach ndearna éinne sin leis na cuirtíní riamh nuair a bhí siad ann, i ndáiríre. Sa chás sin bheidís oscailte i rith an lae agus dúnta ar fad istoíche.

An raibh sí as baile? Imithe, gan focal a rá le héinne sa

leabharlann, gan a chur in iúl go raibh saoire á tógáil aici?

Ar imigh sí áit éigin ag an deireadh seachtaine? Agus nár fhill?

Nó an raibh sí istigh sa teach? Tinn? Marbh?

Chuaigh sé go dtí an teach béal dorais.

D'fhreagair duine éigin é láithreach.

Bean mheánaosta, le gruaig fhionn.

'Níl eochair againn,' a dúirt sí. 'Níl aithne rómhaith againn ar Laoise, cé go bhfuilimid cairdiúil go leor léi. Ach níl sí anseo ach le bliain anuas nó mar sin... agus coimeádann sí í féin chuici féin.'

'Sea,' arsa Seán. 'An mbeadh eochair ag éinne eile de na comharsana?'

'Níl a fhios agam,' arsa an bhean seo. 'Ach bain triail astu. Ní déarfainn é. Sílim go ndeachaigh sí as baile ar an Aoine, anois nuair a chuimhním air.'

'Ó?' arsa Seán.

'Dhéanadh sí sin go minic. Ar an Aoine. Tagann daoine i gcarr chun í a bhailiú. Is dóigh liom go raibh teach ag cara éigin léi ar an gcósta. Féach, tá a carr féin lasmuigh den teach'.

Sin rud nach raibh tugtha faoi deara ag Seán.

'Ach sin an nós atá aici, tá a fhios agam. Téann sí go dtí an cósta agus fágann sí a carr féin anseo, minic go leor.'

'Sea, is dócha go bhfuil an ceart agat,' arsa Seán.

'Caithfidh go bhfuil sí fós ansin,' arsa an bhean fhionn. 'An ceart aici, agus an aimsir chomh deas. Bhí mé amuigh ag gortghlanadh sa ghairdín díreach sular thit an oíche ar an Aoine, agus sílim go bhfaca mé duine éigin ag dul isteach chuici. Is dócha gur duine de na cairde sin aici ab ea í. Ach ansin chuaigh mé isteach agus ní fhaca mé a thuilleadh iad. Níor thug mé faoi deara go raibh Laoise thart ag an deireadh seachtaine.'

'*All right,*' arsa Seán. 'Is dócha gur fhág sí na soilse ar siúl d'aon ghnó?"

'Ó sea,' arsa an bhean béal dorais. 'Dhéanadh sí sin i gcónaí agus í as baile. Bhí *timer* aici is dócha. Mar atá againn go léir.'

D'fhág sé slán aici agus chuaigh sé go dtí an teach ar an taobh eile. Ach ní raibh eochair acu siúd ach an oiread.

4

D'éirigh Máirtín ag a sé a chlog Dé Máirt, mar ba nós leis gach lá oibre. Bhí Saoirse ina cnap codlata sa leaba. Thóg sé a chuid éadaigh ón gcathaoir agus thug leis iad go dtí an seomra suí. Ní raibh sé ag iarraidh í a mhúscailt, agus bhí an mhaidin saghas dorcha. Bhí an samhradh thart gan aon agó agus an fómhar tagtha, in ainneoin an aimsir a bheith chomh haoibhinn i rith an lae.

D'ullmhaigh sé *fry* mór dó féin, ispíní agus putóg dhubh agus sliseanna bagúin agus dhá ubh, rinne pota tae, agus d'ith a bhricfeasta ón tráidire, ar an tolg beag. Bheadh áthas air nuair a gheobhaidís troscán nua. Bhí sé deacair *fry* a ithe agus tú i do shuí ar an tolg, agus an baol i gcónaí ann go ndoirtfeá rud éigin air. Tolg bán. Bhí dúil mhór ag Saoirse i dtroscán bán.

Agus é ag ithe, smaoinigh sé, go leisciúil, ar ábhar a bhí go minic ar a intinn na laethanta seo. Pósadh. Ní raibh sé féin agus Saoirse pósta, cé go raibh siad le chéile anois le trí bliana. Shíl sé gur mhaith leis a bheith pósta léi. Ach níor labhair siad riamh faoi. Chuir sé ionadh air nár luaigh sí an t-ábhar. Ar an lámh eile, níor luaigh seisean é ach an oiread, cé gur theastaigh uaidh é a phlé. Ar ndóigh chreid sé go mbeidís pósta uair éigin. Ach cathain? Go háirithe nuair nach ndearna siad é a phlé. Riamh. Amhail is nach raibh a leithéid de rud ann. Pósadh. Nó faoi mar gur rud é – nós, sacraimint, dlí, pé rud é – nach raibh baint ar bith aige leo siúd!

Lig sé osna, chríochnaigh a ispín, agus chuir an raidió ar siúl.

Nuacht na maidine.

Beirt marbh ar an M10 i dtimpiste bhóthair ag a deich a chlog aréir, fear sna fichidí agus bean sna tríochaidí. An gnáth-nuacht. Bhí timpistí mar seo ag tarlú ar an M10, an bóthar a nasc Dún an Airgid leis an bpríomhchathair, an t-am ar fad. Ghlac Máirtín leis mar chuid den saol, go mbíodh daoine á marú ar na bóithre gach lá beagnach. Bhí na tiománaithe go dona agus ní raibh leigheas ar an ár.

Ach i ndiaidh tuairisce faoin timpiste bhí agallamh le máthair duine díobh, an t-ógfhear. Aisteach, a shíl Máirtín, go mbeadh sí sásta labhairt amach cheana féin, agus gan a mac marbh ach le cúpla uair an chloig.

'Cuirim an locht ar an nGarda Síochána' a dúirt an bhean seo. 'Ní dhéanann siad aon iarracht iachall a chuir ar thiománaithe cloí le rialacha an bhóthair.'

'Déanaim comhbhrón ó chroí leat,' arsa an t-iriseoir. 'Tá tubaiste uafásach tar éis tarlú duit, an rud is measa a d'fhéadfadh tarlú, samhlaím, i saol tuismitheora ar bith.'

'Sea,' arsa an bhean, go hard soiléir.

'Ach … na gardaí? Nach bhfuil cuid den mhilleán ar na tiománaithe?'

'Is féidir le haon amadán tiomáint ar na bóithre,' arsa an bhean. 'Sa tír seo, is féidir le hamadán ar bith tiomáint gan cheadúnas, fiú amháin.'

'Beidh athrú air sin sula i bhfad, de réir an Aire Iompair,' arsa an t-iriseoir, leathnáire air a bheith ag cur isteach uirthi. Níor thug sí cluas dó pé scéal é, ach lean lena spéic amhail is nach raibh faic ráite aige.

'Titeann sé ar na gardaí a chinntiú nach maraíonn na hamadáin sin daoine eile. Sin an dualgas atá orthu. Ach ní chomhlíonann siad é.'

Lig an t-iriseoir osna mhór. 'Do mhac. Ba thiománaí maith é?'

'Ba thiománaí den scoth é. Ní dhearna sé aon rud as an tslí ar an mbóthar. Bhí sé stuama agus ciallmhar agus cúramach. Ach bhuail sé le drochthiománaí aréir agus tá sé marbh anois.'

Bhris sí síos ansin den chéad uair. Go tobann thosaigh sí ag caoineadh.

Caoineadh ard, láidir, truamhéalach.

'Bhuel, tá misneach thar cuimse agat,' arsa an t-iriseoir, deora ina ghuth féin. Chraol siad an caoineadh ar feadh soicind amháin eile. Ansin: 'Fágfaimid ansin é,' a dúirt sé, i ngnáthghuth. 'Ar ais chuig seomra na nuachta anois.'

Baineadh geit as Máirtín.

Bhí an locht i gcónaí ar na gardaí, ar ndóigh. Gach drochrud a tharla, iadsan a bhí ciontach. Seanliodán a bhí sa ghearán sin agus níor nós leis aird ar bith a thabhairt air. Ach an bhean sin... bhí rud éigin ina guth a chuir isteach air mar sin féin. Bhí sí dáiríre. Ba léir gur chreid sí go daingean murach na gardaí go mbeadh a mac óg beo an mhaidin seo, in ionad a bheith sínte ar chlár ag feitheamh le dul faoin gcré.

D'ith sé fuílleach a bhricfeasta go mall, gan mórán spéise aige ann a thuilleadh. Ansin tharraing air a bhalcaisí agus amach leis ar Ascaill na Sabhaircíní.

Shiúil sé go dtí lár an bhaile, mar ba ghnách leis, agus bhí sé sa bheairic ag a fiche chun a hocht.

Bhí Siobhán Uí Laighin, an garda a bhí ar dualgas oíche faoi láthair, fós ansin. D'imeodh sí ag a hocht nuair a thiocfadh foireann an lae isteach. Rachadh Orna, an rúnaí, i bhfeighil na hoifige ansin.

'Haidhe, a Shiobhán,' arsa Máirtín. 'Conas a taoi?'

'Go maith,' ar sise.

'Ar chuala tú an nuacht ag a seacht?' a d'fhiafraigh sé.

'Níor chuala,' arsa Siobhán.

Lig Máirtín osna.

'Tá a fhios agat go raibh timpiste ar an M10 aréir?'

'Sea. Ach ní ar ár gcuidne den M10,' arsa Siobhán. 'Tharla sé in aice le Baile an Rátha, sílim.' Smaoinigh sí agus dúirt, gan mothú ina guth, 'Tragóideach, gan amhras.'

D'inis Máirtín di faoin agallamh le máthair an fhir a maraíodh.

Chroith Siobhán a guaillí.

'Sea, sea, is ar na gardaí an locht i gcónaí,' ar sise. 'Caithfimid dul i dtaithí ar an ngearán sin. An rud nach féidir a athrú ní mór cur suas leis.'

'Sea,' arsa Máirtín, go smaointeach. Bhí caint na máthar fós ag cur isteach air. Bhí sí le cloisteáil istigh ina inchinn, ar nós amhráin nach raibh ar a chumas a dhíbirt. D'athraigh sé an t-ábhar cainte.

'Aon scéal anseo?'

Bhreathnaigh Siobhán ar a cuid nótaí.

'Níl mórán,' a dúirt sí. 'Bean ag gearán faoi dhuine éigin a bheith ar meisce sa pháirc... bréag-aláram i siopa *Marks and Spencer*... agus ó sea, duine éigin ag cur in iúl go bhfuil bean ar iarraidh.' Léigh sí os ard an nóta a bhí scríofa aici. 'Ghlaoigh Seán Ó Móráin, 7 Lána na nGabhar, ag tabhairt le fios go raibh sé imníoch faoi Laoise Ní Bhroin, an leabharlannaí sa leabharlann i lár an bhaile.' Bhreathnaigh sí ar Mháirtín. 'De réir dealraimh níor tháinig sí go dtí an leabharlann inné cé go raibh siad ag súil léi. Agus deir Seán nach duine í a bheadh as láthair ón obair gan leithscéal a chur chucu. Ní raibh freagra nuair a ghlaoigh siad uirthi, óna teach nó ón bhfón póca. Chuaigh sé ar cuairt go dtí an teach aréir tar éis a chuid oibre ach ní raibh éinne sa bhaile, de réir dealraimh.'

'Ó, bhuel, mhínigh tú na rialacha dó,' arsa Máirtín.

'Ar ndóigh. Bhí tuairim mhaith aige cheana féin nárbh fhéidir aon rud a dhéanamh go ceann cúpla lá eile. Ach tá a fhios agat mar a bhíonn daoine... tá imní air.'

'Cén gaol atá aige leis an leabharlannaí seo?'

'Comhghleacaí, sin an méid, de réir a thuairisce féin.'

'Cá bhfuil cónaí ar an leabharlannaí?'

Léigh sí: '6, Clós na Sabhaircíní.'

'Ó,' arsa Máirtín. 'Comharsa linn is ea í. Táimse ar Ascaill na Sabhaircíní.'

'Sea,' arsa Siobhán. 'Agus táimse ar Rae na Sabhaircíní. An airíonn tú riamh go bhfuil tú ag glacadh páirte i dtionscnamh éigin a chuir ollamh le socheolaíocht ar bun? Nó i *sitcom*.'

'Tá a fhios agam go bhfuilim ag glacadh páirte sa *sitcom* ar a dtugaimid Dún an Airgid,' arsa Máirtín. 'Ach cogar, ní raibh a fhios agam go raibh tú féin ag cur fút sna Sabhaircíní. Beidh ort bualadh isteach chugainn uair éigin.'

'Go raibh maith agat,' arsa Siobhán, gan mórán lúcháire ina guth.

'Chífidh mé thú,' arsa Máirtín ag dul isteach ina oifig féin.

An chéad rud a rinne sé, a luaithe is a thosaigh an seal oibre, ná beirt gharda a chur amach ar an M10, ag seiceáil ar luas na gcarranna. Bhí ceamara luais amháin acu sa bheairic.

Nuair a tháinig an stiúrthóir isteach ag a naoi, chuir sé glaoch ar Mháirtín, agus d'iarr air teacht isteach chuige.

'Sea,' arsa Máirtín. Fear meánaosta ab ea an stiúrthóir. Bhí sé ramhar agus cineálta. Brian Ó Murchú an t-ainm a bhí air.

'Chuir tú beirt fhear amach le ceamara luais ag a hocht a chlog ar maidin,' a dúirt sé.

'Sea, rinne,' arsa Máirtín.

'In ainm Dé, cén fáth? Níl ach tú féin agus fear eile anseo anois,' arsa Brian Ó Murchú.

'Agus tusa,' arsa Máirtín.

Níor thug Brian Ó Murchú aird ar bith ar an méid sin.

'Ní raibh sé d'údarás agat iad a chur amach, gan é a chur faoi mo bhráidse ar dtús,' ar sé.

'Ní raibh tú anseo,' arsa Máirtín. 'Creidim go bhfuil sé de dhualgas orainn a bheith ar na bóithre an t-am ar fad, ag iarraidh stop a chur leis an tiomáint mhífhreagrach.' Thosaigh sé ag éirí beagáinín corraithe. 'Tá a fhios agat féin go bhfuil na staitisticí go huafásach. Maraítear níos mó daoine ar bhóithre na hÉireann ná i dtír ar bith eile san Eoraip.'

'Ní chreidim go bhfuil baint ar bith againne leis na staitisticí sin,' arsa Brian Ó Murchú. 'Is cuid den chultúr é, tiomáint róthapa, gan a bheith cúramach.'

'Creideann daoine eile gur orainne atá an locht,' arsa Máirtín. 'Ar chuala tú an nuacht ar maidin?'

'Dhera, an óinseach mná sin... déanann daoine sin, nuair a chailltear páiste. Cuireann siad an milleán ar dhuine éigin. Is cuid den phróiseas caointe é, mar a déarfá. Ní féidir linn aird ar bith a thabhairt ar dhaoine mar sin,' labhair sé i nguth réidh. Bhí sé socair ina intinn faoin méid a bhí á rá aige. Chuir an chinnteacht sin Máirtín ar buile ach choimeád sé srian air féin.

'Aontaím leis an mbean, áfach,' a dúirt sé go ciúin. 'Sílimse leis go bhfuil an ceart aici.'

'Is cuma cad a shíleann tú,' arsa Brian Ó Murchú. 'Níl go leor foirne againn chun daoine a spáráil do dhualgas bóithre, ach amháin uair nó dhó sa bhliain nuair a bhíonn feachtas mór ar siúl. Tuig sin. Má tá an rialtas ag iarraidh gardaí a chur ag faire ar na bóithre beidh orthu a dhá oiread gardaí a chur ar fáil.'

D'fhéach sé go géar ar Mháirtín.

'Agus níl siad chun é sin a dhéanamh. Mar is eol dúinn. Cuir glaoch ar an mbeirt sin agus abair leo teacht ar ais go dtí an oifig. Táimid fós gnóthach ag líonadh isteach foirmeacha do phasanna. Tá leath an bhaile ag déanamh athnuachana ar a gcuid pasanna faoi láthair, ar chúis nach dtuigim.'

'Ceart go leor,' arsa Máirtín.

Bhí an lá ciúin go leor. In ainneoin a raibh ráite ag Brian Ó Murchú, ní raibh mórán gnó á dhéanamh sa bheairic.

Ag a dó a chlog chuir Saoirse glaoch ar Mháirtín. Bhí sise sa stiúideo aici, ag péintéireacht agus ag éisteacht leis an raidió.

'Ba cheart duit éisteacht leis An Líne Bheo,' ar sise. 'Tá díospóireacht bhríomhar faoi na gardaí agus an ról atá acu ar siúl ag an Uasal Duffy agus leath na tíre mar aon leis.'

Chuir Máirtín an raidió ar siúl.

Bhí an t-agallamh le máthair an fhir chaillte tar éis dul i gcion ar dhaoine. Mar a dúirt Saoirse, bhí díospóireacht bhríomhar ar siúl ar an raidió faoi fhreagracht na ngardaí sna timpistí atá ag tarlú go laethúil ar bhóithre na hÉireann. D'aontaigh a lán leis an dearcadh a nocht an bhean a chaill a mac. Bhí daoine ag rá fiú gur cheart don Aire Iompair éirí as a phost.

Ar bhealach chuir an díospóireacht áthas ar Mháirtín. Ní fheadair sé an raibh Brian Ó Murchú ag éisteacht leis. Bhí sé róchiallmhar chun glaoch a chur air ag rá leis cad a bhí ar siúl. Pé scéal é, chuirfí scéal chuig Brian luath go leor. Ba léir anois go mbeadh sé ina ábhar cainte ar fud na tíre go ceann seachtaine eile – seachtain a mhaireadh na díospóireachtaí móra seo de ghnáth. Ansin dhéanfadh daoine dearmad ar pé rud a bhí ag cur isteach orthu agus bheadh suaimhneas ann go dtí gur tharla rud éigin eile a mhúscail suim nó fearg an phobail.

Agus Máirtín ag éisteacht go géar leis na daoine a bhí ag caint agus ag béicíl agus ag gol ar An Líne Bheo, phreab a ghuthán féin arís.

Seán Ó Móráin ón leabharlann a bhí ann.

'Heileo,' arsa sé. 'Táim ag glaoch faoin mbean atá ar iarraidh.'

'Sea, lean ort,' arsa Máirtín.

'Laoise Ní Bhroin, an príomhleabharlannaí anseo sa Leabharlann Phoiblí,' a dúirt sé.

'Ó, sea. Chuala mé fúithi ó mo chomhghleacaí,' arsa Máirtín.

'Tá sí fós ar iarraidh,' arsa Seán. 'Ní raibh sí ag an obair inniu ach an oiread.'

Chroith Máirtín a cheann. Na daoine seo!

'Tuigim go mbeadh imní ort,' a dúirt sé. 'Tá na sonraí ar fad againn. Ach ní thosaímid cuardach go ceann cúig lá, mar a mhínigh mo chomhghleacaí duit.'

'Cúig lá!' arsa Seán. 'Tá a fhios agam go bhfuil rud éigin uafásach tar éis tarlú di. Ní bean í a imíonn léi díreach mar sin gan scéal a fhágáil. Tá sí thar a bheith pointeáilte, agus ... béasach agus cúirtéiseach.'

Rith sé le Máirtín go raibh níos mó de chaidreamh idir Seán

Ó Móráin agus Laoise an leabharlannaí ná mar a lig sé air.

'Seans go bhfuil an ceart agat,' ar sé. 'Ach formhór na ndaoine, nócha a naoi faoin gcéad díobh, a théann as baile i ngan fhios d'éinne, filleann siad arís laistigh de sheachtain.'

Bhí ciúnas ar an líne.

'Heileo?' arsa Máirtín. 'Heileo? Bhfuil tú fós ansin?'

'Is fíor é,' a dúirt Seán. Bhí Máirtín sásta go raibh sé ag glacadh leis an méid a bhí ráite. 'Is fíor an rud atá siad ag rá ar Joe Duffy.' An raidió. 'Níl maitheas ar bith leis an nGarda Síochána. Níl iontu ach státseirbhísigh, ag líonadh a gcuid pócaí féin agus ag tréigean na ngnáthdhaoine.'

Agus leis sin leag sé uaidh an fón.

***

Thriail Máirtín an clog a bhí ar thaobh an dorais ar 6 Clós na Sabhaircíní.

Freagra ar bith ní bhfuair sé. Rud nár chuir ionadh ar bith air.

Bhí na cuirtíní fós leath-tharraingthe, mar a bhí aréir, de réir na miontuairisce a thug Seán Ó Móráin do Shiobhán Uí Laighin. Ní raibh solas ar siúl. Bhí *timer* aici, gan amhras. Bhuail sé ar chlár an dorais ach ar ndóigh níor fhreagair éinne é.

Ansin rinne sé cinneadh. Chuaigh sé go dtína charr, thóg gró as an mbúit, agus bhris isteach doras an tí.

Bhí sé mídhleathach briseadh isteach agus gan an bhean ar iarraidh ach le dhá lá, ach ba chuma leis. Chuir an déistin a chuala sé i nguth Sheáin Uí Mhóráin isteach go mór air. Theastaigh uaidh a chruthú go raibh duine amháin de chuid an fhórsa ag comhlíonadh a dhualgas i leith shlándáil an phobail.

Mar ab eol do Mháirtín, toisc an taithí a bhí aige ar an gcaighdeán tógála in eastát na Sabhaircíní, ní raibh an doras láidir agus ní raibh deacracht ar bith aige é a bhriseadh. I gceann nóiméid bhí sé istigh sa teach.

An chéad rud a thug sé faoi deara ná an boladh.

Boladh gránna.

Boladh fola? *blood*

Ní raibh srón ró-íogair aige. Rud a chiallaigh gur bholadh an-láidir ar fad a bhí sa bholadh seo.

Phreab a chroí, agus é ag tabhairt sracfhéachaint tapa ar an halla.

Ní raibh faic as bealach sa halla. É néata agus glan.

Rith sé in airde staighre. Shíl sé gurbh as sin a tháinig an boladh.

Bhí a chroí ina bhéal ag oscailt an chéad dorais dó, doras a seomra codlata mura raibh dul amú air. Ciúnas uafásach sa teach. Cad a bheadh laistigh?

Leaba, vardrús, cathaoir.

An leaba cóirithe. Ceart go leor. Níor dúnmharaíodh ina leaba í. Níor tharraing éinne í ón leaba néata glan sin ach an oiread. Ní anseo a bhí an bréantas. Bhí puth chumhra éigin san aer, ag teacht ón mbord maisiúcháin.

Seachas sin, bhí an seomra chomh glan le tobar fíoruisce.

Ní raibh stoca as an tslí, nó scuab gruaige. Gach aon rud ina áit cheart. B'annamh dó i seomra chomh néata.

Bhreathnaigh sé sa seomra eile, seomra codlata breise.

Bhí sé sin cóirithe go deas freisin. Níos deise, fiú, ná an príomhsheomra. An chuma ar na baill troscáin go raibh siad nuacheannaithe. Línéadach maith ar an leaba. Bláthanna i bpróca fiú. Na cinn sin a cheannaíonn tú san ollmhargadh, atá cosúil le nóiníní. Níor chuimhin leis an t-ainm a bhí orthu. Bhí an chuma orthu go raibh siad úr go leor, rud a chiallaigh go raibh duine éigin sa teach le déanaí. Agus cén fáth go raibh siad anseo? An amhlaidh go raibh dul amú air agus gur chodail sí sa seomra seo, agus ní sa seomra ar aghaidh an tí... bhí a fhios aige gur bhéas é ag na húinéirí codladh sa seomra sin i gcónaí, an seomra ba mhó. An príomhsheomra codlata.

D'oscail sé an vardrús. Ní raibh aon rud ann. B'amhlaidh do na tarraiceáin. Seomra cuairteora ab ea an ceann seo.

Ní raibh aon rud as an tslí sa seomra folctha ach an oiread, nó san *en suite.*

Chuaigh sé síos staighre.

Shíl sé anois gur ó chúl an tí a bhí an boladh sin ag teacht.

Isteach leis sa chistin.

Tháinig masmas air.

Chuir sé a lámh lena shrón, ag iarraidh an drochbholadh a choimeád uaidh.

Ach cé go raibh an boladh thar a bheith gránna, ní raibh sé ábalta feiceáil cad ba bhunús leis.

Ní raibh corp le feiceáil, marbh nó beo, sa seomra seo ach an oiread.

D'fhéach sé timpeall.

Gnáthchistin.

Na gnáthchófraí ann, na cinn a chuir na tógálaithe isteach mar chuid den phacáiste. Inneall níocháin. D'oscail sé é. Roinnt éadaí ann, iad triomaithe, beagnach. Cé nár thriomadóir freisin é. Rud a chiallaigh go raibh na héadaí ann le tamaillín. D'oscail sé an cuisneoir. Cáis, bainne, im. Trátaí. Uibheacha. *Salami.* Bhreathnaigh sé ar an dáta ar an mbainne. 30 Meán Fómhair. Seachtain ón lá inniu. Gan amhras ceannaíodh é cúpla lá ó shin.

An t-aon rud a chuir iontas air sa seomra ná an bord. Bord gloine, ar aon dul leis an gceann a bhí sé ar intinn ag Saoirse a cheannach seachtain ó shin. Agus ceithre chathaoir, ildaite, timpeall air. Buí, dearg, uaine, gorm.

Agus iad á scrúdú aige, thug sé faoi deara go raibh mála páipéir ina luí ar an gcathaoir dhearg.

Mála de chuid *Marks and Spencer.*

D'oscail sé an mála.

Dhóbair dó titim i laige.

Ba é seo foinse an bhréantais.

Píosa beag bradáin. An-bheag. Ach é chomh bréan agus a d'fhéadfadh sé a bheith.

D'oscail sé doras na cistine – bhí eochair ann – agus chaith amach an mála.

D'oscail sé fuinneog chun roinnt aeir a ligean isteach sa teach.

Ar a laghad ní raibh ann ach iasc.

Mar sin féin, mhothaigh sé lag, amhail is go raibh duine éigin tar éis cic a thabhairt dó sa bholg.

D'fhág sé an chistin agus chuaigh sé isteach sa seomra suí, chun éalú ón mboladh thar aon ní eile. Thuig sé anois nach raibh Laoise Ní Bhroin, nó a corpán, sa teach. Bhí an seomra suí chomh néata glan leis an gcuid eile den teach, gan faic as áit. Gan mórán ann chun a bheith as áit sa chéad dul síos. Balla amháin feistithe le leabhair, ar sheilfeanna bána. Bhí an chuma ar na seilfeanna go raibh siad nua agus go ndearnadh d'aon ghnó iad don seomra seo. Ach bhí an chuma ar gach ball eile troscáin sa seomra gur ceannaíodh athláimhe é nó gur tógadh as *skip* é. Seantolg gruama, píosa deas síoda caite air, mar iarracht chun é a chlúdach. Seinnteoir dlúthdhioscaí sa chúinne. Seilf ard dlúthdhioscaí, cuma néata orthu sin freisin. D'fhéach sé orthu. Ceol clasaiceach i stuacán amháin, ceol comhaimseartha i stuacán eile. Bach, Beethoven, Brahms. Chopin. Gach diabhal diosca in ord aibítre. Ar thóg an bhean seo sos riamh ón leabharlannaíocht, ón síor-rangú? Cén chuma a bhí uirthi mar bhean? Ní chuirfeadh sé ionadh air dá gcaithfeadh sí a cuid gruaige i gcocán beag ar bharr a cinn, agus spéaclaí beaga cruinne ar a srón.

Seachas na leabhair, na dlúthdhioscaí, agus an tolg, ní raibh sa seomra ach sorn dubh, in ionad tinteáin, cúpla grianghraf ar an tseilf a bhí os cionn an tsoirn. Agus pictiúr mór ar an mballa. Rud éigin teibí. Dathanna geala, i gcomparáid leis an easpa datha a bhí i ngach cuid eile den seomra, agus den teach. Chuaigh an pictiúr leis an steiréitíopa. Bheadh spéis ag leabharlannaí in ealaín, i leabhair, sa cheol clasaiceach.

An raibh aon rud ag baint leis an Laoise seo a chuirfeadh ionadh ar dhuine?

Bhí a fhios aige gur cheart dó an mála uafásach sin, mála an bhradáin, a scrúdú.

Chuaigh sé go cúl an tí agus phioc suas ón talamh é, go cúramach. Chaith sé an bradán féin amach – i bpota bláthanna a bhí ar an *patio*. Amuigh faoin aer chaill an bradán cuid mhaith dá chumhacht bhréan.

Chaith sé a raibh fágtha sa mhála ar bhord na cistine.

Sailéad Caesar. Barra seacláide dorcha. Agus buidéal beag fíona.

'In ainm Dé!' arsa Máirtín, ag leagan na rudaí seo ar fad ar an mbord gloine.

Béile beag deas do dhuine amháin a bhí ann.

Béile beag a cheannaigh Laoise di féin, ach nár ith sí riamh. Nár éirigh léi a chuir sa chuisneoir, fiú – agus ní raibh amhras ar bith ná go gcuirfeadh sí siúd bia sa chuisneoir chomh luath agus a thiocfadh sí isteach sa teach. Ní bean í a d'fhágfadh bia ina luí timpeall ar chathaoir nó ar bhord, nó ar an urlár.

Chiallaigh sé sin gur fhág sí an teach gan choinne, agus ar an lá céanna a cheannaigh sí an bia seo. Dé hAoine? Dé Sathairn? Dé Domhnaigh?

Shíl sé go raibh an chuma ar an mbradán go raibh sé sa mhála ar an urlár le roinnt laethanta. Ach ní raibh sé cinnte. Sa teas a bhí ann le déanaí, d'éireodh sé lofa go tapa.

Scrúdaigh sé an mála páipéir. Ní raibh admháil ann, ar an drochuair. Mór an trua... cá gcuirfeadh bean ar nós Laoise admháil? D'fhág formhór na ndaoine iad sa mhála ina raibh an bia acu. Ach an amhlaidh go raibh sise chomh néata sin go ndearna sí rud éigin eile leo? Ar chláraigh sí iad, le coinneáil i gcomhad, nó rud éigin? Lig sé osna, ag breathnú timpeall air. D'oscail sé na cófraí agus na tarraiceáin. Bhí comhad i dtarraiceán amháin ach ní raibh ann ach admhálacha don chuisneoir agus don oigheann micreathonnach.

Bheadh an admháil ina mála aici, de réir dealraimh.

Sin nó chaith sí uaithi é.

Chuir sé an stuif ar ais sa mhála páipéir agus chuir ar an mbord é.

Cá raibh a mála?

Bhreathnaigh sé sa halla arís.

Bhí cóta mór geimhridh, cóta báistí, agus cúpla cóta eile ar an seastán. Agus roinnt málaí. Ach ní raibh rud ar bith iontu. An mála a d'úsáid Laoise go hiondúil ní raibh sé sa teach seo, de réir dealraimh.

Seans go raibh sí faoin tor áit éigin? Gur ghread sí amach agus go ndeachaigh ar seachrán, den chéad uair ina saol? Agus é in am di. *Fair play*, más ea, arsa Máirtín, ag breathnú sa chófra ina raibh earraí tirime, rís agus mar sin de. Earraí in ord chomh slachtmhar i gcófra cistine ní fhaca sé riamh ina shaol. An raibh na hearraí seo in ord aibítre? Ar m'anam ach tá! ar sé. Anlann. Cúscús. Plúr. Rís. Rísíní. Subh.

Dochreidte.

Cad a thugadar ar daoine mar sin? *Obsessive-compulsive.*

Sea, bhí sé in am ag Laoise dul ar seachrán.

Thug sé leis mála *Marks and Spencer* agus dhírigh ar an teach a fhágáil.

Agus é sa halla phreab an teileafón.

Bhí sé tar éis briseadh isteach sa teach. Ní raibh cead ar

bith aige a bheith ann. Ach mar sin féin d'fhreagair sé an fón ar an bpointe.

'Heileo,' a dúirt sé. 'Teach Laoise Ní Bhroin.'

Seán Ó Móráin na leabharlainne a bhí ann.

Bhí ionadh air freagra a fháil. Agus áthas go raibh Máirtín tosaithe ar an iniúchadh.

Mhínigh Máirtín dó cad a bhí déanta aige. Shocraigh siad bualadh le chéile faoi cheann leathuair an chloig sa bheairic.

***

'Ar a laghad tá sé faighte amach agam nach bhfuil sí tinn, nó marbh, ina teach,' arsa Máirtín. 'Agus sílim féin, ós rud é nach bhfuil a mála sa teach, gur imigh sí féin as baile, ar chúis éigin nach dtuigim i gceart.'

'Ní dhéanfadh sí sin,' arsa Seán, ag croitheadh a chinn. 'Tá a fhios agam nach ndéanfadh sí sin, gan a rá linn sa leabharlann. Bhí sí thar a bheith freagrach.'

Bhreathnaigh Máirtín go géar air. Cén fáth go raibh an oiread seo suime ag an bhfear seo ina *boss*? Ní raibh sé cinnte cén post a bhí ag Seán sa leabharlann, ach bhí barúil aige nárbh aon phost ard é. Glantóir nó fear slándála nó a leithéid a bhí ann, dar leis. Gheobhadh sé amach roimh dheireadh an agallaimh seo.

'Tuigim sin,' arsa Máirtín. 'Cén saghas mná ab ea í?"

'Cneasta. Dea-bhéasach. Cothrom,' a dúirt Seán.

Ní nuacht ar bith é sin, a cheap Máirtín. Ach dúirt sé:

'An raibh sí dathúil?'

Rinne Seán a ghuaillí a chroitheadh, amhail is nár smaoinigh sé ar an gceist seo riamh cheana.

'Is dócha go raibh sí dathúil go leor,' arsa sé. 'Bhí sí tríocha a dó nó a trí.' Bhí an chuma ar Sheán go raibh sé sna caogaidí. 'Bíonn mná dathúil ag an aois sin de ghnáth, nach mbíonn?'

Rinne Máirtín gáire beag. Shíl sé go raibh difríochtaí móra idir mná san aoisghrúpa sin.

'Inis dom fúithi. Cén cruth a bhí uirthi?'

'Bhí gruaig dhubh uirthi. Sea, chaith sí cocán uaireanta. Bhí spéaclaí le frámaí dubha aici. Cneas bán ar a haghaidh. An-bhán. Chaitheadh sí éadaí dubha go minic, cultacha agus mar sin de. Sea, fiú sa samhradh féin. Anois is arís bhíodh rud éigin bán uirthi. Mar shampla bhí gúna nó blús agus sciorta bán uirthi ar an Aoine, an lá deireanach a chonaiceamar í.'

'*So*, feisteas neamhghnách? Di siúd?'

'Sea,' arsa Seán. 'Is annamh a chaith sí é, pé scéal é.'

'An bhfuil caitheamh aimsire ar bith aici?' a smaoinigh sé. 'Seachas a bheith ag léamh leabhar agus ag éisteacht le ceol?'

'Níl a fhios agam,' arsa Seán. 'Bean deas chairdiúil atá inti, ach ní labhraíonn sí fúithi féin mórán.'

'Cúthaileach?'

'Ní déarfainn sin. Ach coimeádann sí í féin chuici féin.' Smaoinigh sé. 'Ní dóigh liom go raibh éinne againn ón leabharlann, riamh ina teach, mar shampla. Nó a mhalairt.'

'Agus an mbeadh sé de nós agaibh cuairt a thabhairt ar a chéile?'

'Bhuel, anois is arís. Agus ba ise an *boss*. Agus bhí teach nua aici. Bhog sí isteach ann bliain ó shin. Tá a fhios agam gur chuir sé isteach ar Dheirdre nach bhfuair sí cuireadh ann riamh.'

'Deirdre?'

'Mo chomhghleacaí. I bhfeighil rannóg na bpáistí. An cara is fearr a bhí ag Laoise sa leabharlann, déarfainn. Bhíodh lón acu in éineacht agus mar sin de.'

'Agus cad a shíleann Deirdre faoin rud seo?'

'Tá imní uirthi. Ach síleann sí go bhfuil réiteach nádúrtha ar an scéal.'

'Cad is brí leis sin?'

'Mar a deir tú féin, go bhfuil Laoise imithe faoin tor le cara éigin agus go bhfillfidh sí i gceann tamaillín.

'Seans maith,' arsa Máirtín. 'Cá bhfuil tuismitheoirí Laoise? Bhfuil a fhios agat?'

'Tá a fhios agam,' arsa Seán. 'Tá siad marbh, an bheirt acu. Nó...' stad sé soicind, 'b'fhéidir nach raibh an t-athair thart, mórán, riamh. Dílleachta ab ea Laoise, pé scéal é. Tógadh in institiúid éigin í, i mBaile Átha Cliath.'

Leath na súile ar Mháirtín.

'Sea,' arsa Seán. 'Níor labhair sí riamh faoina cúlra, ach tá a fhios againn go léir gur mar sin a bhí aici.'

'Agus níl aon chairde aici?'

Leath na súile ar Sheán an babhta seo.

'Tá sí cairdiúil le leath de dhaonra Dhún an Airgid,' a dúirt sé. 'Leabharlannaí is ea í. Buaileann sí le daoine an t-am ar fad.'

'Ar ndóigh,' arsa Máirtín. 'Cairde den saghas sin... Custaiméirí.'

'Léitheoirí,' arsa Seán, á cheartú.

'OK,' arsa Máirtín, ag coimeád na mífhoighne faoi smacht. 'Ach cad mar gheall ar dhlúthchairde? Gaolta?'

'Ní raibh gaolta ar bith aici,' arsa Seán. 'Conas a bheadh? Maidir le dlúthchairde, sin rud ná feadar. Bheadh a fhios ag Deirdre. B'fhéidir.'

***

Ar a bhealach abhaile, bhuail Máirtín isteach in ollmhargadh *Marks and Spencer*.

Labhair sé leis an mbainisteoir.

Bhí sise in ann liosta de na freastalaithe a bhí ag obair tráthnóna Dé hAoine a thabhairt dó. Sé scipéad airgid a bhí ag feidhmiú ag an am. Bhí ceathrar de na freastalaithe céanna ag obair faoi láthair.

Fuair Máirtín seans focal a bheith aige leis an gceathrar.

Ach ní raibh cuimhne ar bith acu ar Laoise a bheith sa siopa. Bhí súilaithne ag duine acu uirthi, mar gur úsáid sí an leabharlann go rialta, ach níor chuimhin léi go raibh sí sa siopa.

'Ní chiallaíonn sin faic,' ar sise. 'Bhíomar gnóthach idir a cúig agus a sé. Seans maith go raibh sí sa siopa agus nach bhfaca mé í.'

Ghabh Máirtín buíochas léi agus d'imigh leis.

5

Bhí Saoirse sa bhaile roimh Mháirtín agus an dinnéar ullmhaithe aici. Bradán agus sailéad.

'Hm,' arsa Máirtín, agus é ina shuí ar an mbosca ar an mbalcóin. 'Díreach an rud a bhí Laoise ar tí a ithe sular imigh sí as baile.'

Bhreathnaigh Saoirse air go cúramach.

'Laoise?'

Mhínigh sé an scéal di.

'*Gosh!*' arsa Saoirse. 'Bhuail mé léi ar an Aoine. Táim beagnach cinnte. Cén chuma a bhí uirthi?'

Rinne sé cur síos uirthi.

'Bhí mé sa leabharlann tráthnóna Dé hAoine. Ise an leabharlannaí a thug mo chuid leabhar ar iasacht dom.'

'Bhuel...' arsa Máirtín. 'Ise atá ar iarraidh.'

'Bean dheas a bhí inti. Ní imeodh sí gan scéal a fhágáil le daoine.'

Leath na súile ar Mháirtín.

'Ach a stór... níor labhair tú léi ach ar feadh leathnóiméid.

Níl aithne agat uirthi... an bhfuil?'

Dúirt Saoirse nach raibh. Ach bhí iomas nó fios instinniúil aici. Bhí a fhios aici go raibh an ceart aici.

'Seans maith go bhfuil an ceart agat,' arsa Máirtín. 'Tá rud éigin tar éis tarlú di. Nó seans go bhfuil réiteach nádúrtha ar an scéal. Ar a laghad ní féidir gearán fúmsa. Tá iniúchadh déanta agam cheana féin agus níl sí ar iarraidh ach le cúpla lá.'

'B'fhéidir go bhféadfainn breathnú ar an teach?' arsa Saoirse. 'Teach Laoise. Seans go dtabharfainnse rud éigin faoi deara.'

D'ól Máirtín braon eile uisce agus bhreathnaigh sé amach ar an radharc ón mbalcóin. Baile na Sabhaircíní faoi shuan i gclapsholas an tráthnóna. Raenna, clóis, ascaillí, lánaí. Crainn agus gairdíní. An pháirc mhór a scar an bruachbhaile ó lár an bhaile. Agus i bhfad i bhfad uathu, an fharraige, líne bheag mar rialóir dúghorm ar imeall na spéire.

'Bhuel,' ar sé. 'Ní bheadh sé sin dleathach i ndáiríre.'

'Ní raibh sé dleathach duitse a bheith ann tráthnóna ach an oiread,' arsa Saoirse. 'Agus níl sé ach timpeall an chúinne uainn.'

An chéad rud a d'aithin Saoirse ná an pictiúr ar an mballa.

'Nár aithin tú é?'

'Ó,' arsa Máirtín, ag féachaint ar an bpictiúr agus ag smaoineamh go tapa. 'Tusa a rinne é?'

Chuir Saoirse púic uirthi féin.

Dochreidte, a dúirt sí léi féin.

'D'aithin mé do stíl ann ceart go leor, ach shíl mé gur ealaíontóir éigin eile a bhí ag aithris ort a rinne é. Conas a gheobhadh sí pictiúr leatsa?'

'Seo pictiúr a rinne mé dhá bhliain ó shin. Bhí sé sa taispeántas sin a bhí agam i mBaile Átha Cliath i mo shean-áiléar féin. Bhí tusa ag an taispeántas sin.'

'Is maith is cuimhin liom é,' arsa Máirtín. Bhreathnaigh sé arís ar an bpictiúr. 'Caithfidh gur cheannaigh sí ansin é?'

'Caithfidh go ndearna,' arsa Saoirse. 'Mura bhfuair sí mar bhronntanas é.'

'Bheadh taifead ag an áiléar?

'Bheadh,' arsa sí.

'Hm,' arsa Máirtín. 'Agus cé mhéad a bhí ar an bpictiúr?'

'Fuair mise dhá mhíle euro ar an gceann sin,' arsa Saoirse. 'Rud a chiallaíonn gur íoc sí ceithre mhíle air.'

'*Whew!*' arsa Máirtín. 'Is mór an méid é sin. Do bhean nach féidir léi tolg níos fearr ná an ceann seo a cheannach di féin,' agus thug sé cic beag don tolg.

'Is dócha nach raibh an morgáiste aici nuair a fuair sí an pictiúr,' arsa Saoirse.

'Tá sé soiléir go bhfuil súil an-mhaith aici, ó na rudaí eile atá sa teach. Agus tá na prionsabail chearta aici.'

'Gan amhras,' arsa Máirtín, ag breith isteach ar Shaoirse.

'Ceannaíonn daoine na pictiúir mar infheistíocht freisin, ar ndóigh,' ar sise.

'Dá mba ghadaí a bhris isteach sa teach... nó a ligfí isteach sa teach ... an mbeadh a fhios sin aige?'

'Bheadh a fhios ag roinnt acu,' arsa Saoirse. 'Tógann siad na pictiúir agus díolann thar lear iad, áit nach mbeidh sé furasta an stair atá acu a iniúchadh. Sa tSeapáin. Fiú amháin sna Stáit Aontaithe. Ach,' a dúirt sí, 'níor tógadh é. Tá an pictiúr fós anseo.'

'Tá,' arsa Máirtín.

Chuaigh siad timpeall an tí. Ní raibh mórán le cur ag Saoirse leis an méid a bhí tugtha faoi deara aige féin cheana. Ach bhí sí in ann a rá leis go raibh na bláthanna ann le cúpla lá ar a laghad.

'Criosantamaim atá iontu,' arsa sise. 'Maireann siad go ceann i bhfad agus iad gearrtha. Suas le coicís.'

Chuir sí an cróch lena srón.

'Tá an t-uisce bréan go leor,' a dúirt sí. 'Agus níl mórán uisce ann ach an oiread. Tá na bláthanna seo anseo le seachtain, a déarfainn.'

'Agus ní ligfeadh Laoise do bhláthanna éirí tirim,' arsa Máirtín.

'Ní dóigh liom é,' arsa Saoirse. 'Nach bhfuil an áit an-slachtmhar? Conas a dhéanann sí é?

'Tógadh in institiúid í,' arsa Máirtín. 'B'fhéidir gurbh é sin faoi deara na néatachta ar fad.'

'Tá sé soiléir domsa nach raibh sí sa teach seo ón Aoine,' arsa Saoirse.

'Ní dóigh liom go bhfuil ceist faoi sin a thuilleadh,' arsa Máirtín. 'An cheist ná, cá bhfuil a triail anois?'

***

An chéad rud a rinne sé an mhaidin dár gcionn ná dul isteach san ollmhargadh. Bhí an beirt fhreastalaí a bhí in easnamh roimhe sin istigh ag obair inniu. Dé Céadaoin. An mbeadh cuimhne ar bith acu ar chustaiméirí a tháinig isteach Dé hAoine seo caite, an tráth ba ghnóthaí den tseachtain?

Labhair sé ar dtús le bean óg, tuairim is ocht mbliana déag d'aois, mheas sé. Emma a bhí uirthi. Thaispeáin sé an mála agus na hearraí di.

'Sea, is cuimhin liom iad seo a sheiceáil amach,' a dúirt sí láithreach. Thóg sí na hearraí amach as an mála, agus leag go néata ar an deasca iad. 'Cáis, fíon bán i mbuidéal beag, seacláid. Sea. Agus bradán, más buan mo chuimhne.'

Baineadh geit as Máirtín. Ní raibh aon tsúil aige leis an bhfreagra seo a fháil.

'Dáiríre?' a dúirt sé. 'An cuimhin leat cé a cheannaigh iad?'

Ní raibh uirthi smaoineamh fiú.

'Bean mheánaosta.' Bhuel, ní raibh sí féin ach ocht déag. 'Ciúin. Is dócha go raibh gruaig dhubh uirthi, suas ar a ceann, agus spéaclaí dubha. Bhí sí dathúil, do bhean mheánaosta,' chuir sí aguisín leis an abairt.

'Hm,' arsa Máirtín. 'An cuimhin leat cad a bhí á chaitheamh aici?'

'Bhí blús bán agus sciorta bán uirthi,' arsa Emma. 'Bán ar fad a bhí uirthi. Agus cuaráin dhearga. Sin an fáth gur cuimhin liom chomh maith sin í. Thagadh sí anseo rialta go leor, ach dubh a bhíodh uirthi go hiondúil.'

'An cuimhin leat a hainm?' arsa Máirtín, a mheas ar Emma ag ardú in aghaidh an nóiméid.

'Níl tuairim agam,' arsa sise. Ba chuma. Cur síos cruinn ar Laoise Ní Bhroin a bhí déanta aici. 'Níor úsáid sí cárta bainc riamh, agus níl cártaí dílseachta againne mar a bhíonn ina lán siopaí eile.'

'An cuimhin leat cathain a bhí sí anseo, go beacht, ar an Aoine,' a d'fhiafraigh sé di.

Smaoinigh sí.

'Bhí mise ar an scipéad idir a ceathair agus a sé. Ansin chuaigh mé ar briseadh, chun mo thae a bheith agam. Tháinig sí roimh a sé. Nílim cinnte cén uair go díreach ach sílim, b'fhéidir, ag leathuair tar éis a cúig nó mar sin.'

'Go raibh míle maith agat,' arsa Máirtín. Bhreathnaigh sé uirthi. Gnáthchailín óg. Gruaig fhionn in eireaball capaillín. Smideadh ar a haghaidh. 'Dála an scéil, an miste leat a rá liom, conas mar atá cuimhne agat ar na sonraí seo ar fad?'

Rinne sí meangadh gáire.

'Tá cuimhne mhaith agam ar shonraí mar sin,' dúirt sí. 'Níl a fhios agam cén fáth. Ach is cuimhin liom nach mór gach rud a tharlaíonn, gach rud a fheicim.'

'Tá sin go hiontach,' arsa Máirtín. 'Bua is ea é. Bua neamhghnách.'

Ní dúirt sí faic leis seo.

'Go raibh maith agat arís,' a dúirt sé. 'Beidh mé istigh chugat arís má bhíonn aon cheisteanna breise le cur agam.'

'Am ar bith,' arsa Emma.

Nuair a shroich sé an bheairic bhí teachtaireacht ar an bhfón ó Bhrian Ó Murchú. Cad a bhí uaidh anois? Bhí súil ag Máirtín nach bhfuair sé amach go raibh sé tar éis a shlí a dhéanamh isteach i dteach Laoise Ní Bhroin, gan cead nó barántas.

Ach ní mar sin a bhí.

D'fhéach Brian ar Mháirtín go sceiptiúil.

'Maraíodh ainniseoir éigin eile ar an M10 ar maidin,' a dúirt sé. 'Is dócha gur chuala tú faoi?'

'Níor chuala,' arsa Máirtín. 'Níor éist mé leis an nuacht ar maidin.' Toisc go raibh sé róthógtha le cás Laoise Ní Bhroin, an cás nár cheart a bheith ina chás go ceann trí lá eile.

'Sea,' lig Brian osna mhór. 'Ógfhear eile buailte faoi ag trucail. Deich míle ó Dhún an Airgid.'

'Inár gceantarna,' arsa Máirtín.

'Sea,' arsa Brian. 'Agus mar is eol duit tá raic agus ruaille buaille agus hurlamaboc ar siúl ag na hiriseoirí faoin ár ar na bóithre, mar a thugann siad air.'

'Sea,' arsa Máirtín. 'Chuala mé rud éigin faoi sin, ceart go leor.'

'Beidh siad anuas orm inniu ar nós leon i ndiaidh coinín,' arsa Brian. Ní fheadair Máirtín an raibh spéis ag leoin i gcoiníní? An raibh coiníní agus leoin ar fáil san áit chéanna fiú? San Afraic. Sea, b'fhéidir go raibh. Nach raibh scéalta ann ón Afraic faoi choiníní? *Brer Rabbit.* Bhíodh dúil aige sna scéalta sin agus é ina ghasúr.

Ní raibh sé ag éisteacht róchúramach lena raibh á rá ag Brian.

'Táim chun beirt fhear a chur amach ar an M10 mar sin i rith an ama as seo amach, ag tosú anois,' ar sé. 'Agus ós rud é nach bhfuil mórán againn istigh inniu beidh ortsa dul amach ansin le ceamara luais anois láithreach.'

'*What?*' arsa Máirtin. 'Ach is cigire mise. Ní dhéanaim dualgas tráchta.'

'Níl leigheas agam air go dtí go bhfaighim tuilleadh foirne,' arsa Brian. 'Agus tú féin a thug an smaoineamh dom inné. Ar ndóigh tá sé de cheart agat diúltú é a dhéanamh.' Thosaigh sé ag útamáil le páipéir ar a dheasc. Bhí gach rud an-néata ar an mbord seo. Díreach mar a bhí i dteach Laoise. 'Sin a bhfuil.'

Níor bhac Máirtín le beannú dó agus an oifig á fágáil aige.

6

Chuir Saoirse glaoch ar *Dubh agus Bándearg*, an t-áiléar a dhíol a cuid pictiúr i mBaile Átha Cliath. Choimeád siad taifead ar an ríomhaire de gach rud a dhíol siad. Bhí sé éasca teacht ar an taifead a bhain le pictiúr Shaoirse – 'Carbhán' an teideal a bhí air.

'Díoladh an pictiúr sin ar 22 Feabhra 2006.'

'Seachtain tar éis oscailt an taispeántais,' arsa Saoirse.

'Cad é? Ó, sea,' arsa an bhean. 'Laoise Ní Bhroin a cheannaigh é.'

'OK, go raibh maith agat,' a dúirt sí.

Ghlaoigh sí ar Mháirtín leis an scéal seo a thabhairt dó ach níor fhreagair sé an glaoch.

Bhí sé amuigh ar an M10 ag tógáil grianghraf de ghluaisteáin agus leoraithe, agus iad ag briseadh na luasteorann.

Thosaigh Saoirse ag tógáil grianghraf, freisin, cé nach raibh a fhios aici cad a bhí ar siúl ag Máirtín. Ach bhí sé pleanáilte aici roimh ré dul amach ag grianghrafadóireacht i nDún an Airgid. B'in nós a bhí aici. D'úsáid sí grianghraif go minic mar bhunús leis na pictiúir a phéinteáil sí.

Ní raibh plean ar bith aici maidir leis na téamaí a bheadh sna grianghraif inniu. Mar a tharla, ba é seo an chéad uair di dul ag tógáil pictiúr i nDún an Airgid. Bhí sí gafa le cúraimí eile ó tháinig sí chun cur fúithi san árasán ar Ascaill na Sabhaircíní. An tseift ab fhearr, dar léi, ná dul ag spaisteoireacht thart, agus leagfadh sí súil ar ábhar spéisiúil. Agus dar le Saoirse, bhí gach rud a bhí le feiceáil i nDún an Airgid spéisiúil.

Shiúil sí síos Céide na Sabhaircíní, agus mhoill%) anseo is ansiúd chun grianghraf a thógáil. Árasáin a bhí ar an ascaill seo: foirgnimh arda, déanta as gloine agus coincréit, ceithre stór ar airde. Balcóiní go flúirseach, cé nach raibh de radharc ó fhormhór na mbalcóiní sin ach balcóiní eile, agus árasáin eile. Ar leibhéal na sráide, áfach, bhí rudaí suimiúla le tabhairt faoi deara. Páistí ag luascadh ar na luascáin sa chlós súgartha – bhí ceann mór ag gach foirgneamh, b'in ceann de na buntáistí a bhain le Dún an Airgid, gur admhaigh na hailtirí a dhear é agus na tógálaithe a thóg é go raibh páistí ar an saol fós agus gur cheart freastal ar a gcuid riachtanas. Fuair an tionscadal ardmholadh ar fud na tíre mar gheall ar an soláthar seo. Páistí! Bhí siad ábalta praghas níos airde a éileamh ar na tithe agus ar na hárasáin, ar ndóigh, toisc go raibh áiseanna do pháistí sa chóngar. Bhí scoileanna nua tógtha acu, fiú amháin! Bhí sé de phribhléid ag páistí Dhún an Airgid dul ar scoil ina gceantar féin, dul ar scoil nach raibh plódaithe agus ag titim as a chéile. B'ollmhór an phribhléid é sin, i gcomhthéacs na hÉireann, agus níor ligeadh do mhuintir Dhún an Airgid dearmad a dhéanamh air, agus iad ag ceannach áit chónaithe.

Inniu féin, ar maidin, bhí páistí beaga ag súgradh, súil á coinneáil ag feighlithe orthu agus iad ag caint eatarthu féin ar na binsí a bhí ar imeall an chlóis. *Snap snap. Snap snap.* Ar aghaidh le Saoirse, timpeall an chúinne go dtí Ascaill na Sabhaircíní.

Tithe beaga. Tithe na cathrach. Plásóga beaga féir os a gcomhair amach, nó paistí beaga gairbhéil agus tíleanna, mar ní raibh am ag formhór na n-áitreabhach garraíodóireacht a dhéanamh. *Snap snap. Snap snap.* Is ar an tsráid seo a bhí teach Laoise Ní Bhroin. Tháinig sí ar an teach sular chuimhnigh sí air. *Snap snap.* Bhí plásóg bheag féir ag Laoise, bhí sé sin tugtha faoi deara aici cheana féin. Bláthanna ar thaobh amháin de. Cad iad sin? Cosúil le nóiníní móra ar dhath an órga. Bhí cuma néata ar an bhféar. Caithfidh gur gearradh le fíordhéanaí é. *Snap snap.* Ní raibh aon rud as an ngnáth ag baint leis an teach. Ní raibh aon athrú tagtha air ó aréir. Thóg sí cúpla pictiúr, ó chúinní éagsúla. An chuma fós ar an teach nach raibh éinne ann.

Laoise. Cá raibh sí?

Sheas sí tamaillín ag féachaint ar na bláthanna sin. *Rudbeckia*. Sin an t-ainm a bhí orthu. Dath an fhómhair orthu. Ór dorcha. Thug Laoise gean do bhláthanna. Bhí próca criosantamam aici sa teach. Thaitin rudaí áille léi. Pictiúr Shaoirse mar shampla.

'Táim ag cur aithne ar an mbean seo, bean nár bhuail mé riamh léi,' arsa Saoirse léi féin. Ba mhaith liom bualadh léi. Sílim go mbeimis cairdiúil. Ní raibh cairde ag Saoirse i nDún an Airgid, go fóill. Bheadh sé go deas dá bhfillfeadh Laoise, agus ansin seans go mbeadh sise ann, mar chara. Comharsa ab ea í.

Shiúil sí léi, síos Ascaill na Sabhaircíní i dtreo lár an bhaile. Bhuail sí le fear ag cúinne an bhóthair. Thug sí faoi deara é toisc nach raibh éinne eile amuigh ag siúl. Fear meánaosta. Cóta fada, caipín, in ainneoin teas an lae. Rinne sí a ceann a chlaonadh, cé nach raibh aon aithne aici air. Thug seisean sracfhéachaint ghéar uirthi, aird aige ar an gceamara, agus chlaon a cheann freisin.

***

D'fhill Máirtín ar an mbeairic ag a haon a chlog. Bhí sé tar éis ticéad a thabhairt do chéad tiománaí nach mór, rud a chuir gliondar ar a chroí. Ar a laghad ní fhéadfaí a chur ina leith nach ndearna sé a chuid ar son sábháilteacht ar na bóithre maidin inniu.

'Tá teachtaireacht agam duit,' arsa Orna, an rúnaí. Thug sí nóta buí dó. 'Deirdre Uí Cheallaigh. 5156510. Práinneach. Tá sí ag obair sa leabharlann,' arsa Orna. 'Níl a fhios agam cad faoi a bhí sí ag glaoch.'

'Leabhar atá thar téarma, is dócha,' arsa Máirtín.

Leath na súile ar Orna.

'Práinneach? An nglaonn siad ort faoi rudaí den sórt sin?

'Dhéanfaidís aon rud,' arsa Máirtín, ag dul isteach ina oifig féin.

Ghlaoigh sé ar Dheirdre Uí Cheallaigh.

Bhí sí sa leabharlann.

'Sea? Leabharlann na bPáistí, Dún an Airgid,' a dúirt sí. Bhí guth saghas ardnósach aici ach bhí rud éigin as alt ag baint leis. Bhí sí ag sciorradh thar na focail.

'An Cigire Máirtín Ó Flaithearta anseo,' arsa Máirtín.

'Ó, a chigire! Go raibh maith agat as ucht glaoch ar ais.' Shlog sí rud éigin. 'Gabhaim leithscéal soicind.' Chuala sé scian ag bualadh in aghaidh soithigh. *So.* Bhí a lón á ithe aici. 'Sea. Ghlaoigh mé ort toisc gur ghlaoigh duine éigin orainne ar maidin. Cara le Laoise. Fan anois.' D'fhan sé. 'Íde Nic Urnaí. De réir dealraimh tá sí tar éis iarracht a dhéanamh teagmháil le Laoise le laethanta beaga anuas agus níor éirigh léi. Thóg mé a huimhir fóin mar shíl mé go mbeadh spéis agaibh labhairt léi. Bhí Seán, mo chomhghleacaí, ag insint dom go raibh tú á cheistiú faoi chairde Laoise.'

'Sea. Sin go hiontach. Go raibh míle maith agat,' arsa Máirtín. Thug sí an uimhir dó agus scríobh sé síos é. 'Agus ba mhaith liom labhairt leatsa freisin, más féidir.'

'Am ar bith,' arsa Deirdre. 'Bím anseo ó a naoi go dtí a cúig. Buail isteach.'

'Cuirfidh mé glaoch ort roimh ré,' arsa Máirtín. 'Táim cinnte go mbíonn tú gnóthach ansin sa leabharlann.'

'Tá an ceart agat,' arsa Deirdre. 'Go háirithe nuair nach bhfuil Laoise anseo. Tá súil agam go bhfillfidh sí sula i bhfad.'

'Táim cinnte go ndéanfaidh,' arsa Máirtín. 'Slán agus go raibh maith agat arís.'

Chomh luath agus a leag sé uaidh an fón chuir sé glaoch ar Íde Nic Urnaí. Ní raibh sí ag freagairt agus d'fhág sé teachtaireacht, ag iarraidh uirthi glaoch air a luaithe agus ab fhéidir.

Ansin, ó bhí sé ocrach, chuaigh sé amach.

Lá breá a bhí ann arís. An teocht neamhchoitianta ard: fiche céim inniu i lár an lae, agus deireadh Mheán

Fómhair ag druidim linn, a dúirt sé leis féin. Ní raibh gá
le seaicéad. Cheannaigh sé ceapaire agus canna Coke i
siopa agus in ionad dul ar ais go dtí an bheairic
láithreach shiúil síos i dtreo na páirce chun an lón a
ghlacadh ansin.

Bhí roinnt mhaith daoine sa pháirc agus an rud céanna á
dhéanamh acu, iad suite ar sheaicéid nó ar gheansaithe ar
an bplásóg féir, nó ar na binsí a bhí scaipthe anseo is
ansiúd. Ní raibh geansaí nó seaicéad ag Máirtín, agus bhí
na binsí ar fad gafa. Shuigh sé ar an bhféar lom. Ba
chuma. Bhí sé chomh tirim le tuí. Bhí radharc aige ar an
locháin. D'ith sé a cheapaire, ag féachaint ar na lachain
agus na healaí ag snámh ar an uisce. Bhí an-dúil aige sna
lachain. Thaitin siad i gcónaí leis, ó bhí sé ina ghasúr an-
bheag ar fad. An scéal sin le Hans Christian Andersen,
'An Lacha Ghránna,' níor thuig sé i gceart riamh é, mar
shíl sé féin go raibh lachain go hálainn. Ní raibh siad ar
aon dul leis na healaí, ar ndóigh, na héanlaithe sin a
raibh cuma rinceoirí bailé orthu. Agus bailé bunaithe
orthu. 'An eala ag fáil bháis'. Ní raibh aon rince dar
teideal 'An lacha ag fáil bháis', nó fiú amháin 'Rince na
lachan.' Bhreathnaigh siad aisteach agus iad ag siúl, ar
ndóigh. Greannmhar. Ach níor shiúlóirí rómhaith na
healaí ach an oiread. Bhí ceann acu anois ar bhruach an
locháin, ag ithe blúire aráin a bhí fágtha ag duine éigin

ansin. I ndáiríre bhí an lapaireacht a bhí ag an eala sin níos áiféisí na siúl na lachan. An buntáiste acu siúd go raibh siad beag. Is nuair a bhí siad ag snámh a bhí áilleacht agus grástúlacht ag an dá shaghas éin. Bhí slua mór lachan ag snámh timpeall san uisce, iad ag tumadh agus ag vácarnach, an-sceitimíní orthu, toisc na mblúirí aráin ar fad a bhí á bhfáil acu ón dream daonna sa pháirc.

D'fhéadfadh sé breathnú orthu an lá ar fad. Ach dhírigh sé a smaointe ar Laoise Ní Bhroin. An bhean sin a bhí imithe as baile gan scéal a fhágáil ina diaidh. Cás doiléir. Agus bean dhoiléir freisin. Cén saghas í Laoise? Óg go leor, dathúil. Blas ardnósach aici. Pictiúr le Saoirse crochta ar an mballa aici cé nach raibh sí rachmasach. Neamhghnách, pointeáilte agus néata. Leabharlannaí den scoth. Nósanna rialta aici. Éadaí dubha an t-am ar fad. Cén fáth? Toisc go raibh siad praiticiúil? Nó ar chomhartha é go raibh sí gruama. An raibh rún éigin aici? Agus cén fáth a raibh éadaí bána uirthi Dé hAoine seo caite?

Cá raibh sí?

Agus na laethanta ag sleamhnú thart, bhí Máirtín ag ceapadh go raibh tubaiste éigin tar éis titim amach di. Cé gurbh fhíor gur fhill formhór na ndaoine a chuaigh ar seachrán slán abhaile tar éis seachtaine nó mar sin, ar ndóigh bhí daoine eile nár fhill riamh. Agus ón méid a bhí ar eolas aige faoi Laoise – gur duine í nár chaill lá oibre riamh gan leithscéal an-mhaith, agus gan dul i dteagmháil lena comhghleacaithe, gur duine í a bhí néata agus cúramach i ngach gné dá saol – bhí a fhios aige nach lena toil féin a bhí sí as baile. Bhí sí ina príosúnach áit éigin. Nó, ní ba mheasa fós, bhí sí marbh.

Bhí a cheapaire ite agus a dheoch ólta aige. Shiúil sé síos go dtí an lochán agus chaith blúire aráin leis na lachain. Tháinig siad ag lapaireacht i ndiaidh an bhia, glór uafásach uathu. Sular aimsigh siad an t-arán síos le meaig agus sciob é. Thosaigh na lachain ag vácarnach go truamhéalach. Bhreathnaigh Máirtín ar an meaig, a bhí suite ar an bhféar agus an t-arán á alpadh aici. Bhí sí chomh beathaithe le cearc. Féach nach raibh eagla uirthi roimh an uisce, cé nach raibh sí ábalta snámh. Bhí a fhios aige go raibh bia thart anseo. Bhí na meaigeanna cliste.

Phreab an fón póca.

Íde Nic Urnaí a bhí ann.

Rinne sé coinne bualadh léi ag a trí a chlog, ina hoifig. Ní raibh a fhios aige cad iad na pleananna a bhí ag Brian Ó Murchú dó don tráthnóna ach bhí sé in am aige níos mó a fháil amach faoi Laoise Ní Bhroin.

***

'Bhí aithne mhaith agam ar Laoise,' a d'inis Íde Nic Urnaí dó. 'Bhuail mé léi sé bliana ó shin nuair a bhí sí ag obair mar leabharlannaí i mBaile Átha Cliath.'

'Cá háit?' arsa Máirtín.

'Dún Laoghaire,' arsa Íde. 'As Dún Laoghaire domsa. Bhí mé ag obair mar innealtóir leis an gComhairle Chontae ansin, agus bhí mé i mo bhall de chlub leabhar a bhuaileadh le chéile sa leabharlann. Laoise a bhí i bhfeighil an chlub.'

Bhí siad in oifig bheag i bhfoirgneamh a bhain le comhlacht príobháideach, Ó Murchú agus Ó Murchú Teoranta. Bhí an t-ainm sin feicthe go minic ag Máirtín, ar chomharthaí anseo is ansiúd thart faoi Dhún an Airgid. Rinne Ó Murchú agus Ó Murchú na bóithre ar fad, an pháirc, na droichid, gach rud a bhain le hinnealtóireacht shibhialta, sa bhaile nua seo.

Bean in aois a fiche hocht nó mar sin a bhí in Íde. Gruaig fhionn, aghaidh rabhnáilte, gealgháireach. Bhí cruth cruinn ar a corp. Éadaí an-neamhfhoirmiúil: bhí *jeans* bhána agus t-léine mhór bhán, scaif shíoda de ghorm na spéire ar a muineál. Chuir sí coinín bán i gcuimhne do Mháirtín. Léim sí timpeall na hoifige. Scip. Hap. Bean bhríomhar. Bhí sí an-chinnte di féin.

'Nuair a tháinig mé ag obair anseo, bhí áthas orm fáil

amach go raibh Laoise sa leabharlann anseo freisin. Ní raibh aithne agam ar mhórán eile, ar dtús.'

'An raibh aithne ag Laoise ar mhórán daoine?'

Rinne Íde gáire.

'Braitheann sé,' a dúirt sí.

'Braitheann sé ar cad é?" arsa Máirtín.

'Cad atá i gceist agat leis an bhfocal sin, aithne? Bhuail sí le han-chuid daoine sa leabharlann.'

Chuir sé iontas ar Mháirtín go mbeadh an-chuid daoine ag dul chuig an leabharlann.

'Agus bhí sí an-chairdiúil leo, agus í ag obair. Ach ní raibh mórán cairde aici lasmuigh den phost, mar a déarfá.'

Bhreathnaigh Máirtín go cúramach uirthi. Cén saghas gaoil a bhí idir na mná seo? Íde agus Laoise.

'Chun an fhírinne a rá, bhí sí thar a bheith cúthaileach agus saghas príobháideach inti féin. Is beag duine, mar shampla, a thug cuairt ar a teach riamh.'

'An mar sin é?' arsa Máirtín. 'Agus cé a thug?'

'Mise,' arsa Íde. 'Duine de na fíréin! Scaoil sí isteach mé. Thug cuireadh chun béile dom ó ham go chéile, agus bhíodh fáilte romham bualadh isteach gan choinne fiú amháin.'

'An raibh aon fhíréin eile ann?'

'Bhí, cé nach raibh sí chomh mór leosan agus a bhí liomsa.' Tháinig ceo i súile Íde. Ba léir gur bhuail imní go tobann í. 'Cá bhfuil sí? Bhfuil sí beo?'

Chroith Máirtín a cheann agus thug an gnáthscéal di. Is é sin, gur fhill formhór na ndaoine a d'imigh as amharc slán abhaile faoi cheann seachtaine nó coicíse. Bhí a fhios aige nach nglacfadh Íde leis an sólás seo.

'Sea, sea, sin a deir na staitisticí. Níl Laoise imithe as amharc go toilteanach, táim cinnte de sin.'

Shuigh sí suas díreach ina cathaoir.

'Bhí cairde eile aici – bhí buíon againn a théadh go dtí an Cósta Órga anois is arís ag an deireadh seachtaine. Tá árasán agam ann.' Shín sí leathanach chuige, ar a raibh trí ainm agus uimhreacha fóin breactha síos, mar aon le seoladh áitribh ar an gCósta Órga.

'Bhíomar ann an deireadh seachtaine seo,' ar sí.

'Sea,' arsa Máirtín, gan a lua go raibh seisean ann freisin, ar an Domhnach. Má bhí Íde in acmhainn árasán a bheith aici i bhfoisceacht daichead míle dá príomháit chónaithe, caithfidh go raibh sí saibhir.

'Ach níor tháinig Laoise. Bhí gnó éigin aici sa bhaile, oíche Dé hAoine. B'in an leithscéal a thug sí. Níl a fhios agam cén gnó a bhí i gceist, ach tá a fhios agam go raibh coinne aici bualadh le duine éigin oíche Dé hAoine. Sa bhaile, sílim.'

'*Right!*' arsa Máirtín. 'Agus níl tuairim ar bith agat cé nó cad a bhí i gceist.'

Chroith sí a ceann.

'Sin rud nár luaigh sí,' arsa Íde. 'Ach shíl mé go mbeadh sé tábhachtach go mbeadh an t-eolas sin agat.'

'Agus bhí an ceart agat,' arsa Máirtín. D'éirigh sé.

'Go raibh maith agat,' a dúirt sé. 'Cuirfidh mé scairt ort má bhíonn aon cheist eile agam.' Chroith sé lámh léi. 'Dála an scéil,' a dúirt sé, sular fhág sé an oifig. 'Cá bhfuil cónaí ort féin?"

'45, Páirc na gCloigíní Gorma, Baile an Óir,' a dúirt sí.

Díreach mar a shíl sé. Bhí sí saibhir.

Chuaigh sé ar ais go dtí an bheairic. Ní raibh Brian ann. Bhí garda amháin fós amuigh ar an M10, ag breith ar thiománaithe a raibh an dlí á bhriseadh acu, ach ní raibh brú ar bith ar Mháirtín dul amach.

'Tá teachtaireacht anseo duit,' arsa Orna leis, nuair a shiúil sé isteach i halla na beairice.

'Inis dom é i gceann deich nóiméad,' arsa Máirtín. 'Tá rud le déanamh go práinneach agam.'

Chuir sé glaoch ar Eircom. Bhí sé ag iarraidh teileafón Laoise a iniúchadh. Teachtaireacht nó glaoch ar bith a fuair sí le seachtain anuas, bhí sé ag iarraidh eolas a fháil faoi. Thóg sé ceathrú uair an chloig air teacht ar dhuine – ar feadh i bhfad ní raibh ach guthanna digiteacha á fhreagairt. Faoi dheireadh, áfach, tháinig duine daonna ar an líne. Amin. Bhí Amin éifeachtach agus gheall go dtiocfadh sé ar ais chuige laistigh de fiche a ceathair uair an chloig. Ghlaofadh sé ar an mbeairic chomh luath agus a bhí scéal aige.

Dá mbeadh an t-ádh le Máirtín, bheadh teachtaireacht éigin dó ar an bhfón sin a thabharfadh leide. Ach ar ndóigh bhí seans maith nach raibh aon rud ann.

Agus cad faoi ríomhaire Laoise?

Chuir sé glaoch ar Dheirdre Uí Cheallaigh.

'Leabharlann na bPáistí, Dún an Airgid,' a dúirt sí, ina guth ardnósach.

'Máirtín anseo, an cigire,' arsa Máirtín. 'Go raibh maith agat arís as ucht na teachtaireachta sin a thabhairt dom.'

'Ar chabhair ar bith é?"

'Bhí sé ina chabhair mhór,' ar sé.

Sin a deireadh sé i gcónaí nuair a chuirtí an cheist sin air.

'*So,* 'bhfuil aon scéal?'

'Faraor, níl,' a dúirt sé. 'Ach tá leide agam pé scéal é. Ní féidir liom níos mó ná sin a rá.' Ach cén fáth nach bhféadfadh? Ní raibh aon rún ag baint le haon rud a bhí déanta aige, ach a rún féin: nár chóir dó a bheith á dhéanamh in aon chor. 'Ach,' lean sé air, 'Tá rud eile agam le hiarraidh ort.'

'Sea?' arsa Deirdre. Chuala sé í ag caint le duine éigin eile. Léitheoir óg.

'Ba mhaith liom féachaint ar ríomhaire Laoise, ar a cuid ríomhphoist. An bhféadfainn sin a dhéanamh?'

'Bhuel... soicind amháin, murar mhiste leat. Tá duine anseo liom,' arsa Deirdre.

D'fhan sé. Chuala sé fothram ach faic eile. Tar éis tamaillín tháinig sí ar ais ar an líne.

'Brón orm,' ar sise.

'OK,' arsa seisean.

'Sea, an ríomhaire. Níl a fhios agam. Is dócha go mbeadh sin indéanta ach níl pasfhocal Laoise agamsa – ise a bhí i gceannas anseo, atá i gceannas anseo, tá a fhios agat. Bhí ár gcuidne pasfhocal aici siúd, sílim, ach ní a mhalairt.'

'Bhfuil duine éigin eile a mbeadh an t-eolas sin aige nó aici?"

'Sea. An fear a thagann chun na ríomhairí a dheisiú agus fadhbanna teicniúla a réiteach. Eisean. Micheál Mac Carthaigh is ainm dó. Fan nóiméad agus gheobhaidh mé a uimhir.'

Thug sí uimhir agus seoladh ríomhphoist dó. Ghlaoigh Máirtín ar Mhicheál Mac Carthaigh. Rinne sé coinne bualadh leis sa leabharlann ag a leathuair tar éis a ceathair.

Chuaigh sé amach chun cainte le hOrna.

'Bhí teachtaireacht agat dom?' a dúirt sé.

'Sea. D'fhág duine éigin an nóta seo faoi do choinne tráthnóna.'

Shín sí clúdach litreach donn chuige, mála *jiffy*.

'Hm,' a dúirt Máirtín. Mhothaigh sé an mála go cúramach. 'Tá súil agam nach buama atá ann.'

Bhreathnaigh Orna go géar air.

'Bhfuil naimhde agat cheana féin i nDún an Airgid?' a dúirt sí.

'Cigire sna gardaí mé. Tá naimhde agam i ngach áit,' a d'fhreagair sé, agus an mála á oscailt aige.

Dlúthdhiosca a bhí laistigh. Gnáth-dhlúthdhiosca ceoil.

Ceann nua. Bhí sé clúdaithe le ceallafán.

'An bhfuil breithlá agat go luath?' Rinne Orna gáire.

'Níl,' arsa Máirtín, an dlúthdhiosca á scrúdú aige. *Hothouse Flowers. Together Again.* 'Bhuel, bhí an grúpa seo mór le rá nuair a bhí mé i mo ghasúr, is cuimhin liom. Is dócha go bhfuil baint éigin acu le mo bhaile dúchais.'

'Agus cad é sin?' arsa Orna.

'Daingean Uí Chúis,' arsa Máirtín. 'Co Chiarraí.'

D'ardaigh na malaí ar Orna.

'Cén duine a d'fhág isteach é? An bhfaca tú í?'

'É,' arsa Orna. 'Fear a bhí ann. Críonna go leor, sílim. Deacair a dhéanamh amach. Féasóg air. Bhí cóta fada air agus caipín, cé go bhfuil an lá chomh brothallach sin. Chuir sé sin iontas orm. Ach braitheann seandaoine fuar go minic, tá a fhios agam.'

'Cén fáth go bhfágfadh seanfhear an dlúthdhiosca seo isteach anseo domsa?' arsa Máirtín.

'Níl *clue* agamsa!' arsa Orna.

'Ok, táim ag imeacht pé scéal é,' arsa Máirtín, ag cur an diosca ina phóca.

7

Ní raibh Micheál Mac Carthaigh sa leabharlann nuair a bhuail Máirtín isteach ag leathuair tar éis a ceathair. Bhí Deirdre Uí Cheallaigh thíos staighre sa phríomhsheomra, ag déileáil le léitheoirí. Bhí an chosúlacht uirthi go raibh sí faoi bhrú. Sheas Máirtín ar leataobh ag feitheamh le go mbeadh sí réidh chun cainte leis. Bhreathnaigh sé mórthimpeall air. Leabharlann fhairsing, nua-aimseartha a bhí i Leabharlann Dhún an Airgid. Bhí sraith ríomhairí ar thaobh amháin den seomra, roinnt daoine ag obair orthu. Ar an taobh eile, bhí tolg agus cathaoireacha uillinn de dhéantús an-nua ar fad, dath dearg orthu. Bhí cailín scoile amháin ina leathluí ar an tolg, irisleabhar á léamh aici. Bhí an chuma ar an gcuid sin den leabharlann gur seomra suí i dteach príobháideach é agus an chuma ar an mbean óg go raibh sí ar a sáimhín só ann. Chuimhnigh sé ar an sean-leabharlann sa Daingean. Áit dheas chairdiúil. Ach ní ar aon dul leis seo. Cúpla bord agus cathaoireacha crua. Níor chuairteoir rómhinic ar an leabharlann é Máirtín agus é ina ghasúr. Tugadh ann faoi bhrú anois is arís é, ag múinteoir scoile éigin, ach ba bheag an spéis a chuir sé i leabhair an taca sin. Gan suim aige in aon ní ach a bheith ag imirt peile.

'A chigire, fáilte isteach,' arsa Deirdre. Phreab Máirtín, é múscailte as a thaibhreamh.

'A Bhean Uí Cheallaigh. Conas atá an misneach?'

'Lag,' ar sise. 'Tá an iomarca le déanamh. Níl éinne againn chun áit Laoise a ghlacadh, ar ndóigh. Bhí orm rannóg na bpáistí a dhúnadh tráthnóna, níl éinne agam chun freastal ar an gcuid seo den leabharlann. Tá Gráinne ar leathlá.'

'Gráinne?'

'An leabharlannaí cúnta eile. Tá sí ag roinnt a poist.'

'Le cén duine?'

'Léi féin,' arsa Deirdre, ag croitheadh a cinn. 'Sin mar a bhíonn sa chóras atá againne. Bíonn Gráinne ar leathlá gach lá.'

Chrom sí a cloigeann ina lámha.

'Tá éadóchas ag teacht orm,' ar sise. Stop sí agus ansin bhreathnaigh suas air. 'Maidir le Laoise. Inniu an Chéadaoin. Tá a fhios agam go bhfuil sí i gcontúirt.'

'Róluath chun teacht ar aon chinneadh,' arsa Máirtín. 'Ach, ar ndóigh, tá imní ort. Bhí sí mar dhlúthchara agat?'

'Ní raibh, ach bhí sí mar dhlúth-chomhghleacaí, más

féidir é a rá ar an mbealach sin. Braithimid uainn í tar éis trí lá. Ní bheidh an leabharlann mar an gcéanna ina héagmais.'

Ní raibh a fhios ag Máirtín cad a déarfadh sé. Ach bhí an t-ádh leis. Ag an nóiméad tráthúil sin shiúil Micheál Mac Carthaigh isteach.

Chuir Deirdre an bheirt in aithne dá chéile agus threoraigh isteach in oifig Laoise iad.

'Beidh mé lasmuigh má bhíonn aon rud uaibh,' ar sí.

Dhúisigh Micheál an ríomhaire agus d'oscail cáipéisí agus bosca ríomhphoist Laoise.

'Seo duit,' a dúirt sé. 'Tá a lán stuif anseo. Tógfaidh sé roinnt mhaith ama dul tríd ar fad.'

'Tá mo dhóthain ama agam,' arsa Máirtín.

'Sea, ach dúnann siad ag a sé tráthnóna. Tabharfaidh mé a pasfhocal duit. Tig liom é a athrú nuair a bheidh an jab críochnaithe agat.'

'Beidh sé críochnaithe amárach agam,' arsa Máirtín.

Bhreathnaigh Micheál air, ag leathgháire.

'OK. Cur scairt orm nuair a bheidh tú réidh leis an iniúchadh. Tiocfaidh mé thart ansin agus cuirfidh mé pasfhocail nua isteach.'

'Beidh sé sin go seoigh,' arsa Máirtín.

D'imigh Micheál leis.

Bhreathnaigh Máirtín ar na ríomhphoist ar dtús.

Bhí os cionn míle litir sa bhosca. De réir dealraimh níor ghlan sí an bosca go rómhinic, má rinne riamh. Bhí litreacha ann a scríobhadh dhá bhliain ó shin, an t-am a tháinig Laoise anseo an chéad lá.

Mar a dúirt Micheál, thógfadh sé roinnt ama féachaint ar gach rud. Rinne sé suimeanna. Dá dtógfadh sé nóiméad amháin air gach litir a léamh, bheadh ar a laghad míle nóiméad uaidh. Sé huaire déag an chloig. Gan trácht ar na cáipéisí eile.

Cá bhfaigheadh sé an t-am? Ach go háirithe nuair nach raibh an gnó seo ar a chlár oibre oifigiúil faoi láthair.

Chuir sé glaoch ar Shaoirse. D'iarr sé uirthi na ríomhphoist a léamh dó.

Bhí a fhios aige go maith nach raibh sé de réir na rialacha ligean di baint ná páirt a a bheith aici leis an iniúchadh seo. Ach ní raibh rogha aige, dar leis. Dá n-iarrfadh sé ar dhuine éigin de na gardaí an jab seo a dhéanamh dó bheadh sé ag feitheamh go ceann míosa ar thoradh.

Ach ní róshásta a bhí Saoirse nuair a mhínigh sé di cad a bhí uaidh.

Phléasc sí.

'Ach tá rudaí idir lámha agamsa freisin,' arsa sise. Bhí. Bhí gallúnach ar a lámha. Bhí folcadh á thógáil aici tar éis obair an lae chun an phéint a ruaigeadh.

'Tuigim sin go maith, tá a fhios agat go dtuigim.' Bhreathnaigh sé ar an gclog. Bhí sé a cúig cheana féin. Ní bheadh ach uair an chloig aige inniu. 'Ach shíl mé go mbeadh suim agat san obair seo. Is cuma. Fadhb ar bith mura bhfuil. Chífidh mé thú thart ar a sé. An féidir liom aon rud a thabhairt abhaile?'

'Tá sé ceart go leor' arsa Saoirse. 'Tá gach rud agam don dinnéar. Slán go fóill.'

Thosaigh Máirtín ar na ríomhlitreacha.

Bhain a bhformhór le cúrsaí na leabharlainne.

Litreacha ag cur isteach orduithe ar leabhair nua, litreacha chuig an bpríomhleabharlannaí ag iarraidh leabharlannaí breise don chraobh seo, litreacha faoi chóireáil an fhoirgnimh. Litir amháin ó Íde, ag déanamh socrú bualadh le Laoise chun dul go dtí an phictiúrlann. Cathain? Trí seachtaine ó shin, an 23 Lúnasa. Bhí litir eile, ceann pearsanta ó dhuine darbh ainm dó Marc.

Hi

Beidh mé ag dul suas go dtí an tigín amárach, c. 4.30. Suim agat teacht in éineacht liom? D'fhéadfainn tú a bhailiú ón leabharlann.

X

Marc

Agus ar chuir sí freagra chuig Marc? D'oscail sé an comhad ina raibh na litreacha a seoladh amach. Chuardaigh sé Marc. Bhí níos mó ná Marc amháin ann agus níos mó ná ríomhphost amháin seolta chuige siúd. Sea. D'fhreagair sí é. Rinne sí socrú dul go dtí an tigín leis. B'in ag an deireadh seachtaine, gan ann ach trí seachtaine ó shin.

 Chuardaigh sé Marc sa bhosca isteach. Bhí sé litir ar fad uaidh. Bhain siad go léir le socruithe – dul go dtí an tigín, bualadh léi i siopa éigin, coinne ag Marc chun cuairt a thabhairt ar Laoise ina teach sna Sabhaircíní. Fuair sí an chéad litir ar 7 Iúil. *So...* seans nár bhuail sise agus Marc lena chéile go dtí sin. Gaol nua.

Cérbh é an Marc seo?

Ní raibh aon sonraí ar an ríomhphost. Ní raibh sé ag scríobh ó oifig nó a leithéid, ach ó sheoladh príobháideach. *Baggypants65@eircom.net* an seoladh a bhí aige. Bhuel, sheolfadh sé féin litir chuige óna ríomhaire féin, agus mura mbeadh freagra aige air sin, bheadh sé ábalta sonraí Mharc a fháil ar shlí éigin eile.

Bhreac sé an seoladh ina leabhar nótaí.

Ag an nóiméad sin, chuir Deirdre a ceann isteach san oifig.

'Táimid ar tí dúnadh,' ar sí. 'Brón orm.'

'Fadhb ar bith,' arsa Máirtín. 'Beidh mé ar ais amárach.'

'OK,' arsa Deirdre, ag féachaint go fiosrach ar an ríomhaire. 'Aon leid nua?'

'Tá rud éigin agam,' arsa Máirtín. 'Is mór an chabhair é seo. Go raibh maith agat arís.'

'Aon rud in aon chor ach eolas a fháil faoi cad atá tar éis tarlú di,' arsa Deirdre. Chuimil sí ciarsúr lena súile. Bhí na deora ag teacht.

'Ná bíodh imní ort,' arsa Máirtín. Focail áiféiseacha gan chiall. Ghread sé leis go tapa as an leabharlann. Ní raibh sé ar a chompord riamh le mná agus iad ag caoineadh.

Bhí Saoirse san árasán roimhe, ina suí ag féachaint ar an nuacht ar an teilifís. Ba léir nach raibh aon dinnéar réitithe aici.

'Haidhe, a stór,' arsa Máirtín, á pógadh. 'Cén saghas lae a bhí agatsa?'

'Ceart go leor,' arsa Saoirse, gan breathnú air.

Lig sé osna bheag agus amach go dtí an cuisneoir. Thóg sé deoch Coke as agus scairt uirthi siúd, ag fiafraí an raibh deoch uaithi.

'Níl,' arsa Saoirse.

Lig sé osna arís, chuaigh amach ar an mbalcóin agus d'ól an deoch go mall, ag féachaint amach ar an eastát agus an pháirc taobh thiar de. Rinne sé botún, ag iarraidh ar Shaoirse an ransú sin a dhéanamh dó, ar an ríomhaire. Cén fáth a ndearna sé é? Ag dul in aghaidh an dlí agus in aghaidh Shaoirse ag an am céanna. Bhí a fhios aige go maith go raibh sí chomh gnóthach leis féin. Chreid sí go raibh a oiread práinne ag baint leis na pictiúir sin a phéinteáil sí agus a bhí leis an obair a bhí á déanamh aige siúd do na gardaí – ag iniúchadh dúnmharaithe. Dúnmharú. B'in an chéad uair dó an focal sin a úsáid i gcomhthéacs Laoise Ní Bhroin. Ach bhí sé beagnach cinnte ina chroí istigh go raibh sí marbh. Tásc ná tuairisc ní raibh uirthi le cúig lá anuas.

Bhí an ghrian ar tí dul faoi. Bhí an aimsir go haoibhinn ach mar sin féin thiocfadh an geimhreadh, bheadh na laethanta ag éirí gairid, an dorchadas i réim. Níor thaitin an geimhreadh le Máirtín. Ag éirí sa dorchadas, ag filleadh abhaile sa dorchadas. Bhí gach rud a bhain lena chuid oibre níos deacra sa gheimhreadh. Bhreathnaigh sé amach. Na díonta, na gairdíní, na bóithre beaga. An pháirc phoiblí agus na páirceanna agus na sléibhte i bhfad uaidh. Iad go léir le feiceáil, soiléir go leor. Dá mba rud é go raibh Laoise Ní Bhroin, nó a corp, curtha i bhfolach áit éigin sa cheantar sin, bheadh sé i bhfad níos fusa teacht uirthi anois ná mar a bheadh i gceann míosa eile.

Bheadh air iarraidh ar Bhrian an cuardach a cheadú láithreach.

Idir an dá linn... Saoirse agus an dinnéar.

Chuaigh sé ar ais chuici.

'Cad ba mhaith leat don dinnéar?' ar sé. Bhí a fhios aige – ciall cheannaithe – gurbh é seo an tslí cheart chun an cheist a chur, seachas 'Cad atá ann don dinnéar?', an cheist aige i ndáiríre.

'Is cuma liom,' arsa Saoirse.

'OK,' arsa Máirtín, lagmhisneach ag teacht air. 'Déanfaidh mé *pizza* a théamh. Ar mhaith leat sin?'

'Níor mhaith,' arsa Saoirse.

'Ceart go leor,' arsa Máirtín. Cad eile a bhí ar a chumas a dhéanamh? Cad a bhí sa chuisneoir? 'Sicín agus rís? Tá anlann milis agus searbh againn. Céard faoi sin?'

Níor thug sí freagra air.

'OK,' arsa Máirtín. 'Glacfaidh mé leis gur freagra dearfach é sin. Sicín le hanlann milis agus searbh a bheidh againn, agus rís,' agus chuimhnigh sé air féin, 'Rís rua'.

Thréaslaigh sé leis féin as cuimhneamh air sin. Rís rua. Bheadh *brownie point* le fáil aige air sin, ar a laghad, nach mbeadh?

Ní raibh, de réir dealraimh.

Ó bhuel! Amach leis go dtí an chistin agus thosaigh ag réiteach an bhéile.

Smiot sé an sicín, mar aon le gairleog agus oinniúin, agus chuir iad go léir ar friochadh in ola olóige ar an sorn. Thosaigh sé ag cuardach na ríse.

Chuala sé an nuacht ag críochnú. Mhúch Saoirse an teilifís. Thosaigh sí ag éisteacht le ceol clasaiceach.

Go tobann smaoinigh sé ar an dlúthdhiosca a bhí faighte aige tráthnóna. Na *Hothouse Flowers*.

Thóg sé as a phóca é agus chuaigh ar ais chuig Saoirse.

'Féach,' ar sé. 'Mistéir. Thug seanfhear éigin é seo dom mar bhronntanas inniu. D'fhág isteach sa bheairic é.'

Thug Saoirse sracfhéachaint ar an dlúthdhiosca.

'An miste leat má éistim leis?' arsa Máirtín. 'Ní thuigim cén fáth ar tugadh dom é ach seans go bhfuil baint éigin aige le cás Laoise Ní Bhroin.'

Bhreathnaigh Saoirse arís ar an dlúthdhiosca.

'Conas a bheadh?' ar sí. 'Is gnáth-dhlúthdhiosca é seo atá le ceannach ag éinne sa siopa.'

'Níl a fhios agam,' arsa Máirtín. 'Ach ba mhaith liom éisteacht leis pé scéal é.'

'Bhfuil deifir mhór ort?' arsa Saoirse.

'Níl, níl,' arsa Máirtín. Smaoinigh sé. 'Ach táim fiosrach.' Smaoinigh sé arís. 'Ní nach ionadh.'

Sular chaill sé foighne d'imigh sé ar ais go dtí an friochtán.

Ag an nóiméad sin phreab an fón póca aige.

'Amin, Eircom,' arsa an té a bhí ar an bhfón.

'Ó, Amin, sea? Aon scéal?'

'Sea. Níor éirigh linn aon rianú a dhéanamh ar a fón póca. Ach tá seacht dteachtaireacht ar fad ar an bhfón tí. Ar mhaith leat go dtabharfainn na sonraí duit anois?'

'Ba mhaith,' arsa Máirtín. Thóg sé a leabhar nótaí agus peann as póca a sheaicéid.

'Ar aghaidh leat,' ar sé.

Bhí dhá theachtaireacht ó Sheán sa leabharlann, teachtaireacht amháin ó Dheirdre Uí Cheallaigh, dhá theachtaireacht ó Íde Nic Urnaí. Bhí siad sin go léir tagtha tar éis an deireadh seachtaine.

'Tá dhá theachtaireacht eile ann, ceann a tháinig ar an Aoine agus ceann maidin Shathairn,' arsa Amin.

'OK, cad iad?' arsa Máirtín.

'Fuair sí teachtaireacht tráthnóna Dé hAoine ó Mharc Ó Muirí. Dúirt Marc go mbuailfeadh sé timpeall chuig Laoise oíche Dé hAoine, thart faoina hocht a chlog.'

'Hm,' arsa Máirtín.

'Chuala sí an teachtaireacht sin.'

'*Right,*' arsa Máirtín.

'Agus tá teachtaireacht amháin eile nár chuala sí a tháinig maidin Dé Sathairn, ó Bhrenda Ní Chonchúir.'

Stad sé.

Bhí deatach ag teacht ón bhfriochtán ach níor thug Máirtín faoi deara é.

'Sea?' arsa Máirtín.

'Séard a bhí sa teachtaireacht sin ná Brenda ag rá go raibh sí tar éis bualadh timpeall go dtí teach Laoise ar an Aoine ar a seacht, agus nach raibh éinne sa bhaile. Bhí an tuiscint aici go raibh coinne aici le Laoise ag an am sin. Cad a tharla? Bheadh sí buíoch as glaoch a fháil ar ais uaithi. D'fhág sí a huimhir fón póca ar eagla go raibh sé caillte ag Laoise.

'Go raibh maith agat,' arsa Máirtín. 'Cabhair mhór is ea é seo. Slán, Amin.'

Thosaigh an t-aláram an soicind a leag sé uaidh an guthán. Rith Máirtín go dtí an sorn. Bhí an sicín dubh dóite. Thug sé faoi deara – faoi dheireadh – go raibh an chistin ag líonadh le deatach.

Bhain sé an friochtán den sorn agus rith amach leis ar an mbalcóin.

Bhí an t-aláram fós ar siúl, ag búiríl ar fud an fhoirgnimh.

'Cad a tharla?' Saoirse a bhí ann.

Ní dúirt sé focal ach an friochtán a thaispeáint di.

Chroith sí a ceann agus pus uirthi.

Chaith Máirtín uaidh an friochtán. Bhí a fhios go maith aici cad a bhí ag tarlú. Bhí sí i bhfad níos fearr chun boladh a fháil ná mar a bhí sé féin. An ligfeadh sí don árasán dul trí thine ar mhaithe le bob a bhualadh air?

Bhí áitreabhaigh eile le feiceáil faoin am seo, ag rith amach ón mbloc árasán, mar ba chóir de réir na rialacha nuair a bhuail aláram ar bith.

'Diabhail!' arsa Máirtín.

Rith sé síos staighre agus amach ar an bplásóg a bhí lasmuigh den bhloc.

'Tá brón orm,' ar seisean leis an ngrúpa a bhí bailithe ann roimhe. 'Aláram bréagach. Ní baol daoibh.'

'Cad a tharla?' arsa bean.

'Rud ar bith,' arsa Máirtín, ag insint mionéithigh. 'Fadhb bheag leis an aláram againne.'

'Ach feicim deatach ansin ar do bhalcóin,' arsa bean. Shín sí a méar i dtreo na balcóine. Lean súile an tslua an mhéar. B'fhíor di. Bhí deatach liath le feiceáil, ag putháil ón bhfriochtán go dtí barr na spéire.

'Cad sin?' arsa fear meánaosta, nach raibh air ach fobhríste agus léine. Bhí sé crosta.

Bhreathnaigh Máirtín ar an deatach. Rinne sé cinneadh. D'inseodh sé an fhírinne.

'Ó... bhuel, maith dom é, ach dhóigh mé an sicín milis agus searbh a bhí á ullmhú don dinnéar,' a dúirt sé.

'Ní foláir a bheith cúramach faoi na rudaí seo agus cónaí ort in árasán,' arsa an fear, ag dul ar ais i dtreo an dorais.

'Garda Síochána tusa,' arsa an bhean. 'D'inis tú bréag dúinn. Rinne tú iarracht cur ina luí orainn gurbh aláram bréagach a bhí ann agus fios agat go maith gur tusa a bhí ciontach as tine a thosú.' D'fhéach sí ar a comharsana, ag lorg tacaíochta uathu. Thug siad di é i bhfoirm chlaonadh cinn. Nó croitheadh cinn.

'Maith dom é,' arsa Máirtín arís. 'Níorbh aon tine a bhí i gceist. Sicín a bhí rófhada ar an sorn, b'in a tharla. Tá an t-aláram an-leochaileach.'

'Gan amhras. Agus nach maith an rud é?' arsa an bhean. Bhí sí óg agus dathúil ach bhí fonn ar Mháirtín í a bhualadh.

'Sea,' arsa seisean. 'Aontaím go hiomlán leat. Ach anois, a dhaoine uaisle, tá sé sábháilte filleadh ar bhur gcuid árasán. Tá gach rud faoi smacht, ceart go leor?'

'Táimse chun gearán a dhéanamh leis na Gardaí,' arsa an bhean óg, dathúil, chrosta. 'Fútsa. Níl seo maith go leor, ó oifigeach de chuid an Gharda Síochána.'

'Déan pé rud is maith leat, a bhean chóir,' arsa Máirtín. 'Oíche mhaith agaibh anois.'

Suas staighre leis.

Bhí an t-aláram ina thost. Bhí Saoirse ag an sorn, ag cur *pizza* san oigheann.

'Tá brón orm,' ar sise. 'Bhí sé de cheart agam teacht i gcabhair ort. Ach conas nár thug tú faoi deara cad a bhí ag tarlú?'

Thug Máirtín barróg di.

'Bhí mé ar an bhfón. Ghlaoigh duine ó Eircom orm le heolas tábhachtach agus ní raibh aird agam ar aon rud ach a raibh á rá aige. Tá a fhios agat an tslí a bhím.'

'Tá a fhios,' arsa Saoirse. 'Ó bhuel, níl aon díobháil déanta.'

Ach dinnéar scriosta. Agus gearán oifigiúil a bheith ag dul ar a chomhad pearsanra. B'fhéidir.

Ach ní raibh leigheas aige air sin.

'Seinnfimid an dlúthdhiosca sin fad a bheidh an *pizza* san oigheann,' arsa Saoirse. 'Ar mhaith leat sin?'

'Ba mhaith,' arsa Máirtín, á pógadh arís. 'Ach teastaíonn uaim glaoch amháin a dhéanamh ar dtús, *all right?*'

'Ar aghaidh leat,' arsa Saoirse, leitís á tógáil as an gcuisneoir aici.

'Brenda Ní Chonchúir?' arsa Máirtín.

'Sea, ag caint,' arsa Brenda.

D'inis sé a chúram di.

'Ó sea,' ar sise. 'Tá sí ar iarraidh? A thiarcais!'

'Seans go bhfuil míniú nádúrtha ar an scéal,' arsa Máirtín,

don fhichiú huair le cúpla lá anuas. 'Ná bí buartha.'

'Níl aon aithne agam ar Laoise Ní Bhroin pé scéal é,' arsa Brenda. 'Ach d'fhreagair mé fógra a bhí aici sa nuachtlitir idirlín, *Scéala Dhún an Airgid*', ag tabhairt le fios go raibh seomra le ligean ar cíos aici. Bhí coinne agam léi sa teach oíche Dé hAoine ag a seacht a chlog. Ach nuair a chuaigh mé ann ní raibh éinne sa bhaile.'

'Hm,' arsa Máirtín. 'Ag a seacht a chlog? Tá tú cinnte gurbh é sin an t-am?'

'Tá,' arsa Brenda. 'Bím i gcónaí in am do gach rud agus b'in an t-am a bhí aontaithe. Bhuail mé agus bhuail mé, ach ní bhfuair mé freagra ar bith. Ghlaoigh mé uirthi ón bhfón póca agam. Freagra ar bith. Ansin chuir mé glaoch arís ar an Satharn ag iarraidh uirthi glaoch a chur ormsa.'

'Go maith,' arsa Máirtín. 'Agus ar ndóigh níor chuir sí glaoch ort?'

'Níor chuir,' arsa Brenda. 'I ndeireadh na dála ghlac mé leis go raibh tionónta eile faighte aici, nó nach raibh suim aici sa chúram a thuilleadh. Shíl mé go raibh sí drochbhéasach gan scéal a chur chugam, ach tá a fhios agat féin. Bíonn daoine mar sin ann.'

'Fíor duit,' arsa Máirtín. 'OK, go raibh míle maith agat as an eolas sin ar fad. Má bhíonn aon eolas breise uaim b'fhéidir go gcuirfidh mé fios ort. Ar mhiste leat do sheoladh a thabhairt dom?'

Thug sí dó é agus bhreac sé síos é, cé go raibh a fhios aige gur bheag an baol go mbeadh sé ag dul i gcomhairle léi arís.

'Ba mhór an chabhair an méid a d'inis tú dom,' arsa Máirtín, ag fágáil slán aici.

'Aon scéal?' arsa Saoirse.

D'inis sé gach rud di.

'Hm,' a dúirt sí. 'Bhuel, is mór an dul chun cinn é sin in aon lá amháin.'

'Tá Laoise fós ar iarraidh agus níl tuairim agam cad a tharla di.'

'Nó,' arsa Saoirse, 'Cén fáth nach n-éistfimis leis an dlúthdhiosca sin? Tá an *pizza* chóir a bheith ullamh.'

'Sea,' arsa Máirtín. 'Ba bhreá liom sin.' Lig sé méanfach mhór. 'Tá tuirse an domhain orm.'

'Ní nach ionadh,' arsa Saoirse, go grámhar.

Chuir Máirtín an dlúthdhiosca ar siúl. Thóg Saoirse an *pizza* agus gloine fíona amháin an duine agus luigh siad isteach ar bhéile an tráthnóna a chaitheamh, iad ag éisteacht leis na hamhráin ar an dlúthdhiosca agus iad ag ithe. Bhain na liricí le cúrsaí grá ach go háirithe, agus leis an nádúr. Bhí amhrán nó dhó a chuir síos ar cheol agus an tionchar a bhí aige ar an duine. Seachas sin ní raibh aon téama neamhghnách le cloisint, dar le Máirtín nó Saoirse. Mar shampla ní raibh aon amhrán ag na *Hothouse Flowers* a rinne cur síos ar leabharlann nó ar leabharlannaí, nó ar dhúnmharú, nó ar Dhún an Airgid. Nó ar aon rud a bhain le cás Laoise Ní Bhroin.

An t-amhrán ba neamhchoitianta ar an dlúthdhiosca seo, bhain sé le báid. Curacha.

Na curachaí, na curachaí, na curachaí, a chan an bhuíon.

Ar nod é sin?

An raibh Laoise i gcurach in áit éigin ar chósta Chonamara, nó Chontae an Chláir? An raibh sí ar seachrán in Árainn?

'Cad a cheapann tú?' ar sé le Saoirse, nuair a bhí an téip ar fad cloiste acu.

'Níl a fhios agam,' arsa Saoirse. 'Ach tar éis babhta codlata, seans go dtiocfaidh smaoineamh éigin chugam. Tarlaíonn sin, uaireanta.'

8

'Déanfaidh mé na ríomhphoist sin a sheiceáil duit,' arsa Saoirse an mhaidin dár gcionn. Bhí sí ina suí sa leaba ag ól cupán tae a bhí Máirtín tar éis a thabhairt di.

'Ó?' arsa Máirtín. Bhreathnaigh sé ar an gcupán tae. Níor bhreab a bhí i gceist aige leis an gcomhartha sin agus níor theastaigh uaidh go mbreathnódh sí ar an tae mar ionramháil de shaghas ar bith. 'Ná déan sin, tá a fhios agam go bhfuil tú gnóthach.' Ar an lámh eile de, seans nach n-éireodh leis féin dul go dtí an leabharlann go dtí déanach tráthnóna agus bhí sé ar bís chun breis eolais a fháil ón mbosca ríomhphoist sin. 'Ach bheadh sé ina chabhair mhór dom dá bhféadfá uair an chloig nó mar sin a spáráil. Agus seans go mbeadh spéis agat ann.'

'Bheadh,' arsa Saoirse, ag luí siar ar an bpiliúr agus ag breathnú air. 'Tá sé suimiúil i gcónaí breathnú ar ríomhphost duine éigin eile. Beag rud atá níos spéisiúla ná sin.'

'Bhuel... sea,' arsa Máirtín. 'OK, cuirfidh mé glaoch ar an leabharlannaí sin ag tabhairt le fios go mbeidh tusa ag teacht ag...'

'A deich a chlog ar maidin,' arsa Saoirse. 'Tá sé chomh maith agam é a dhéanamh láithreach.'

'Go hiontach,' arsa Máirtín. Bhreac sé an pasfhocal ar bhlúire páipéir. 'Seo chugat an pasfhocal. Táim thar a bheith buíoch díot as seo, a stór. Cur glaoch orm a luaithe is a thagann tú ar aon rud a shíleann tú a bheith spéisiúil.'

'Déanfaidh,' arsa Saoirse.

'Cuirfidh mé glaoch ar an leabharlannaí ag tabhairt le fios di gur mise a chuir ann tú.'

Lá breá eile a bhí ann. An spéir gorm ach bhí fuacht ann mar sin féin ag an am seo den mhaidin, a thug Máirtín faoi deara, agus é ag siúl go dtí an stáisiún. Bhí na duilleoga móra ar na seiceamair ag athrú a ndathanna. Bhí úlla ar crochadh sna crainn i ngairdín amháin ar Lána na Sabhaircíní, iad chomh dearg le soilse tráchta, agus ag lónrú ar chuma éigin. Conas a d'éirigh leis na daoine sin crainn chomh haibí a bheith acu cheana féin, nuair nach raibh na tithe ann ach le bliain nó dhó? An amhlaidh gur fágadh seanchrainn ar shuíomhanna áirithe? Bhí an phleanáil chomh maith sin i nDún an Airgid go raibh seans maith go ndearna siad a leithéid.

Bhí Orna ina suí sa halla nuair a tháinig sí isteach sa bheairic.

'Aon scéal?' arsa sé.

Chroith sí a ceann.

'Faic i ndáiríre,' arsa sise. Chlaon sí a ceann i dtreo oifig Bhriain. 'Tá sé fós ar mire faoin M10 agus an t-ár ar na bóithre agus mar sin de,' arsa sise. 'Maraíodh buachaill éigin i dtimpiste eile aréir, in aice le Bealach Amach a ceathair. Tá siad ag obair ar an mbóthar ansin, tá a fhios agat.'

'Is trua liom é sin a chloisteáil,' arsa Máirtín. ''Bhfuil raic ar an raidió?'

'Níl, tá siad bréan den scéal sin cheana féin; tá a fhios agat mar a bhíonn siad. Ach tá Brian fós dáiríre faoi. Tá beirt fhear amuigh ar an M10 arís ar maidin. Níl anseo ach é féin agus tusa.'

'In ainm Chroim! Nílimse ag dul amach arís ar maidin, geallaim sin duit,' arsa Máirtín.

'Bí ar d'aire,' arsa Orna.

An chéad rud a dhein Máirtín nuair a shroich sé a dheasc ná an ríomhaire a chur ar siúl agus nóta a sheoladh chuig Marc. Leis an ruaille buaile go léir aréir ní bhfuair sé seans dul i dteagmháil leis ansin. *Baggypants65@eircom.net.* D'iarr sé air glaoch a chur air go práinneach, gan a mhíniú cad a bhí i gceist. Ansin, cé go raibh a fhios aige gur cheart dó fanacht chun seans a thabhairt do Mharc teacht ar ais chuige, chuir sé glaoch ar Amin Eircom, agus d'iarr air Marc a iniúchadh agus a sheoladh agus a chuid sonraí eile a fháil dó. Ós rud é go raibh seoladh Eircom aige chaithfeadh go mbeadh sonraí acu faoi.

'Fadhb ar bith,' arsa Amin. 'Beidh an t-eolas sin agam laistigh de dheich nóiméad. Cuirfidh mé glaoch ansin ort.'

Bhreathnaigh Máirtín go tapa ar a ríomhphost féin. Ní raibh aon rud tábhachtach sa bhosca. Thóg sé amach a leabhar nótaí agus d'iompaigh sé a aird i dtreo Laoise Ní Bhroin. Cad a bhí ar eolas aige? Rinne sé nótaí agus é ag smaoineamh. Bhí sí ar iarraidh anois le ceithre lá – inniu an Déardaoin. Nó le sé lá, mar ní raibh sí sa bhaile nuair a thug Brenda Ní Chonchúir cuairt uirthi oíche Dé hAoine. Bhí bia a cheannaigh sí, le hithe oíche Dé hAoine, fágtha sa chistin. Bhí teachtaireachtaí ar a fón ón Aoine nár fhreagair sí. Mar sin, bhí gach cosúlacht ann gur fhág sí an teach i gClós na Sabhaircíní Dé hAoine, roimh a seacht, an t-am a ghlaoigh Brenda isteach, agus nár fhill sí ó shin.

Laoise. Leabharlannaí pointeáilte, deas, dathúil. Teach beag deas aici. Easpa cairde – ach bhí Íde mar chara aici, agus roinnt eile ar chaith sí deireadh seachtaine ina dteannta anois is arís ar an gCósta Órga. Agus Marc.

Baggypants. Leannán fir. Nó rud éigin eile? Dúnmharfóir.

Aon rud eile? Bhí pictiúr luachmhar amháin, luachmhar a dhóthain, ar a laghad, ag Laoise ina teach. Ach níor leor sin chun aon teoiricí a bhunú air. Ach bhí mistéir ag baint léi. Bhí sí ait, ar bhealach éigin. Rúnda. Thuig sé cheana féin ó bheith ag caint le daoine nár ghnáthdhuine í. Bhí rud éigin fúithi nár thuig daoine i gceart agus a chuir míshuaimhneas orthu. Cinnte bhí.

Ach cad é? Agus an raibh baint aige sin lena himeacht as?

Bhí Saoirse sa leabharlann phoiblí, os comhair ríomhaire Laoise.

Thug sí faoi deara an comhfhreagras le Marc. Bhí rud éigin aisteach ag baint lena cuid teachtaireachtaí ríomhphoist ach ní raibh ar a cumas a méar a chur air. Ar ndóigh bhí a stíl phearsanta féin ag a lán daoine agus ríomhphost á scríobh acu, seans nach raibh ann ach sin.

Chuardaigh sí a hainm féin, Saoirse Ní Ghallchóir, sa bhosca.

Bhí tagairt amháin di. Ríomhphost chuig Laoise ó ealaíontóir, Muireann Ní Loingsigh, a bhí i gceist. Muireann a luaigh pictiúr Shaoirse le Laoise. Bhain a litir le pictiúr eile a bhí á cheannach ag Laoise ó Mhuireann. Níor luadh praghas. Seans nach raibh an saothar anchostasach. Ach cá raibh an pictiúr, más rud é gur cheannaigh Laoise é? Níor thug Saoirse faoi deara go raibh níos mó ná pictiúr amháin i dteach Laoise. Ar ndóigh bhí seans ann nár thug sí ceann Mhuirinne faoi deara. Ní raibh a fhios aici cé chomh mór is a bhí sé, nó aon ní eile ina thaobh.

Lean sí léi, ag cuardach. Teachtaireacht i ndiaidh a chéile. A bhformhór leadránach agus oifigiúil. Ba bheag comhfhreagras pearsanta a bhí ag Laoise sa bhosca seo. An amhlaidh go raibh bosca éigin eile aici? Seoladh pearsanta? Gan amhras bheadh; bhí seoladh pearsanta ag gach duine na laethanta seo. Ach... aisteach go leor – ní raibh ríomhaire i dteach Laoise, chomh fada is ba chuimhin le Saoirse. Arís, seans go raibh dul amú uirthi, nó go raibh ríomhaire glúine i bhfolach áit éigin sa teach.

A haon déag a chlog.

Thóg sí sos agus chuaigh amach go dtí an seomra léitheoireachta. Bhí Deirdre gnóthach le grúpa scoláire ó scoil éigin. Dream óg, rang a haon b'fhéidir. Bhí an leabharlannaí ina suí ar stól agus scéal á léamh os ard aici. Léitheoir maith ab ea í. Ba mhaith í chun guthanna éagsúla a tharraingt chuici. Bhí na páistí faoi dhraíocht aici, iad ag éisteacht le fonn leis an scéal, a súile ar leathadh. Bhreathnaigh Saoirse orthu. Páistí. Nach mbeadh sé go hiontach ceann a bheith aici féin! Ach ar an lámh eile de, nach mbeadh sé deacair a cuid oibre féin a dhéanamh dá mbeadh naíonán aici? Bhí naíolanna ar fáil ar ndóigh. Ar ardphraghas – b'in rud nach raibh sa Útóipe seo, Dún an Airgid. Naíolann saor in aisce, nó fiú amháin naíolann ar phraghas réasúnta. Bhí an clú ar na naíolanna ar an mbaile go raibh siad thar a bheith go maith – gan amhras, cad eile a mbeifeá ag súil leis i nDún an Airgid? Ach bhí siad thar a bheith costasach freisin. Níos daoire ná i mBaile Átha Cliath fiú. Ní raibh sé d'acmhainn ag Saoirse agus Máirtín leanbh a bheith acu faoi láthair. Bheadh uirthi fanacht – go ceann cúig bliana eile seans.

***

Tháinig glaoch ó Amin.

Thug sé seoladh poist agus uimhir fóin Mharc do Mháirtín.

Marc Ó Muirí. 99, Bóthar na Caithne, Baile na mBocht.

Chuir Máirtín glaoch ach ní bhfuair sé aon fhreagra. Ní raibh gléas freagartha ag Marc de réir dealraimh.

Baile na mBocht. B'in an eastát beag de chuid na Comhairle Contae, an *affordable housing* mar a thug siad air, ab éigean do na tógálaithe a sholáthar nuair a bhí Dún an Airgid á fhorbairt acu. Ba chuimhin le Máirtín an raic a thóg siad. Bhí sé i gceist go mbeadh na tithe seo, tithe sóisialta, measctha leis na tithe príobháideacha. Ach ní ghlacfadh na tógálaithe leis sin mar phlean. Ní bheadh daoine sásta airgead maith a íoc ar thithe nó ar árasáin a bhí taobh le taobh le tithe a chuirfí ar fáil saor, nó saor in aisce. Cén fáth go mbeadh? Cé go raibh Máirtín ag taobhú leis an rialtas nuair a bhí sé sa Daingean, anois go raibh sé féin i nDún an Airgid thuig sé dearcadh na dtógálaithe. Ní bheadh seisean sásta a shaol a chaitheamh ag íoc morgáiste ar árasán i gceantar ina raibh árasáin de chuid na Comhairle Contae taobh lena cheann féin. Ní hé go raibh aon rud in aghaidh na mbochtán aige ach bhí air a bheith ciallmhar agus praiticiúil. Laghdaigh na daoine sin luach an cheantair ina raibh siad ag cur fúthu.

Bhí sé breá sásta go raibh na daoine sin, na daoine nach raibh sé d'acmhainn acu áit a cheannach, go léir curtha ar eastát amháin, ar imeall Dhún an Airgid, áit nach mbeadh ar éinne ach daoine den saghas sin – agus na gardaí, gan amhras – cos a leagan riamh ann.

Eastát beag a bhí ann, gan ach dhá bhóthar ann. Bóthar na Caithne agus Bóthar na nÚll.

Níor bhac siad leis an gcóras casta sin a bhí i réim sa Bhaile Nua: níor bhac siad le lánaí agus ascaillí agus raenna agus clóis agus cluainte agus gleannta, nó le háitainmneacha nua, deasa, a chumadh. Mar a tharla, Baile na mBocht an t-ainm a bhí ar an seanbhaile fearainn inar tógadh an t-eastát nua. Níor athraigh siad é. Agus tógadh céad teach agus dhá chéad árasán. Bhí na tithe ar Bhóthar na Caithne agus na hárasáin ar Bhóthar na nÚll. B'in a raibh i mBaile na mBocht.

Mura gcloisfeadh sé scéal ó Mharc roimh an tráthnóna, rachadh sé amach go dtí Baile na mBocht chun cuairt a thabhairt ar an teach agus ar an gcomharsanacht.

Conas mar a bhí ag éirí le Saoirse? An raibh sí sa leabharlann fiú? Bhreathnaigh sé ar a uaireadóir. Deich tar éis a haon déag. Bhí sé ar tí glaoch a chur uirthi nuair a phreab an fón.

Brian.

Thit a chroí. Bheadh sé amuigh ar an M10 an chuid eile den lá.

'Sea?'

'Drochscéal,' arsa Brian.

D'ardaigh a chroí beagáinín. Ach an amhlaidh go raibh duine éigin eile marbh ar an M10, fiú agus na gardaí ann?

'Cad é sin?' arsa Máirtín.

'Tá corpán sa loch sa pháirc phoiblí. Thug páiste éigin faoi deara é ar maidin, agus é ag cur báidín ag snámh ar an loch.'

'Laoise Ní Bhroin,' arsa Máirtín.

'Seans,' arsa Brian. 'Tá scéala curtha agam chuig oifig an phaiteolaí. Beidh siad ann i gceann uair an chloig.'

'Rachaidh mé féin síos láithreach,' arsa Máirtín.

'Déan sin,' arsa Brian. 'Beidh orainn cás a oscailt anois. Tabhair aon rud atá agat dom sula n-imíonn tú.'

'Déanfaidh,' arsa Máirtín.

***

Nuair a bhain sé an pháirc amach bhí meitheal an phaiteolaí ann cheana féin. Bhí corda á fheistiú acu timpeall ar an taobh sin den loch ar a mbeidís ag obair. Slua beag bailithe lasmuigh de sin agus ar an taobh eile den lochán ag breathnú ar a raibh ar siúl.

Labhair Máirtín leis an oifigeach a bhí i bhfeighil na hoibre agus chuir siad iad féin in aithne dá chéile. 'Cian Bairéad,' arsa an fear eile. 'Ní thógfaidh sé seo i bhfad. Tá a fhios againn go díreach cá bhfuil sé.'

'Sé? An fear atá ann?'

'Ní bheidh a fhios agam go dtí go n-ardóimid é,' arsa

Cian. 'Fear nó bean nó páiste.'

'Cad a chonaic an té a thug faoi deara é?' arsa Máirtín.

'Thug sé faoi deara go raibh rud éigin ag cur isteach ar na lachain. Ansin chonaic sé go raibh bróg nó cuarán, ag snámh ar an uisce. Agus go raibh scáth i bhfoirm choirp ag tóin poill. Tá an t-uisce an-salach, ní féidir aon rud a fheiceáil i gceart. Ach níl sé domhain.'

'Cá bhfuil an bhróg?'

Chrom Cian a cheann i dtreo pubaill bháin a bhí curtha in airde acu.

'Istigh ansin. Bróg neodrach – cuarán den saghas sin a chaitheann fir agus mná. *Crocs,* is dócha, a thugtar orthu.'

'Hm, an miste leat má bhreathnaím air?' arsa Máirtín. An gcaithfeadh Laoise *crocs?*

'Ní miste. Ach beidh an corpán againn faoi cheann deich nóiméad pé scéal é. Tá fios curtha againn ar an bpaiteolaí agus beidh sí anseo laistigh de dhá uair an chloig.'

Bhreathnaigh Máirtín ar an gcuarán. Lig sé cnead. Dearg an dath a bhí ar an *croc*. Bhí sé mór go leor chun go n-oirfeadh sé d'fhear beag, ach bhí sé cinnte gur bheag fear a chaith *crocs* agus dath dearg orthu. Ní raibh amhras ach gur corp mná a bhí sa lóchán.

Bhí an ceart aige. Nuair a chuaigh sé amach arís bhí an

corpán ar bhruach an locha. Gléasta i *jeans* agus t-léine bhán, cosnochta. Níor thóg sé soicind ar Mháirtín ainm a chur uirthi.

Íde Nic Urnaí. Í siúd ar labhair sé léi arú inné.

9

Bhí an fhoireann bailithe sa seomra cruinnithe sa bheairic. Máirtín, Siobhán agus Muiris. Brian Ó Murchú ina chathaoirleach orthu.

'Beidh orainn tuairisc iomlán a chur le chéile láithreach agus é a chur ar aghaidh chuig an aonad bleachtaireachta sa phríomhchathair,' ar seisean. 'Agus beidh orainn preasráiteas a ullmhú go tapa agus preasagallamh a bheith againn roimh am lóin. A Mháirtín?'

Thug Máirtín cuntas iomlán ar ar tharla ó mhaidin. Bhí tuairisc ghearr faighte aige ón bpaiteolaí. Tachtadh Íde agus ansin cuireadh a corp sa lochán. Ansin luaigh sé go raibh agallamh aige le hÍde Nic Urnaí inné, gur chara le Laoise Ní Bhroin í, agus gur shíl sé go raibh seans go raibh nasc idir an dá eachtra: seachrán Laoise agus bás Íde.

Thug sé cuntas glan ar a raibh ar eolas aige faoi chás Laoise. Ní dhearna Brian aon ghearán faoin méid ama a bhí caite aige ar an gcás seo, gan chead.

'Ceart go leor,' a dúirt sé. 'Nuair a labhróidh mé leis an bpreas tabharfaidh mé le fios go bhfuilim ag obair ar chás Laoise Ní Bhroin ó thús na seachtaine.'

Leath na súile ar Mháirtín.

'Tá fiosruithe á ndéanamh agus cheana féin táimid tar éis roinnt daoine a chur faoi agallamh. Ní fios cá bhfuil Laoise Ní Bhroin. Ní fios go bhfuil ceangal ar bith idir seachrán sise agus dúnmharú Íde Nic Urnaí. An ceart dom tabhairt le fios go raibh aithne acu ar a chéile?'

'Is ceart,' arsa Máirtín ar an bpointe. 'Gheobhaidh siad sin amach pé scéal é laistigh de nana-shoicindí. Ansin beidh siad ag gearán go rabhamar ag coimeád eolais faoi cheilt agus go bhfuil uisce faoi thalamh ann.'

'Ceart go leor,' arsa Brian, i nguth a bhí thar a bheith neirbhíseach.

'Ba chairde iad Íde Nic Urnaí agus Laoise Ní Bhroin agus táimid ag iarraidh a fháil amach an bhfuil ceangal ar bith idir an dá eachtra. Má tá eolas ar bith ag éinne faoi cheachtar den bheirt bhan iarraimid orthu teagmháil a dhéanamh linne, Garda Síochána Dhún an Airgid, 458765, nó le stáisiún gardaí ar bith. Éinne a bhí sa limistéar timpeall ar Pháirc na Lachan, Dún an Airgid, idir a deich a chlog Déardaoin, 20 Meán Fómhair, agus a haon déag a chlog maidin Dé hAoine, 21 Meán Fómhair, agus a thug aon rud in aon chor as an ngnáth faoi deara, iarraim orthu teagmháil a dhéanamh linn freisin. Go raibh maith agaibh.'

Chuir Brian Ó Murchú a script ina phóca. Bhí fir cheamara ó na comhlachtaí teilifíse ar fad bailithe timpeall, agus slua iriseoirí.

'An bhfuil aon tuairim agaibh cén fáth ar maraíodh Íde Nic Urnaí.'

'Níl,' a dúirt sé.

'Cá bhfuil Laoise Ní Bhroin?'

'Níl a fhios againn.'

'Cad atá déanta agaibh chun teacht uirthi?'

'Gach rud atá ar ár gcumas a dhéanamh, tá sé á dhéanamh againn,' arsa Brian, go foighneach.

'An ndearna sibh an ceantar a chuardach go mion?' a d'fhiafraigh iriseoir amháin.

'Tá sí ar iarraidh ón deireadh seachtaine seo caite. Duine fásta is ea í. Ní gnách cuardach a dhéanamh go dtí go mbíonn duine ar iarraidh le seacht lá.'

'Fiú amháin nuair is léir go bhfuil seans maith gur dúnmharaíodh í?'

'Níl aon chúis againn go fóill teacht ar an tuairim gur maraíodh í,' arsa Brian. 'Agus anois, sin a bhfuil le rá agam tráthnóna, a dhaoine uaisle. Go raibh maith agaibh.'

Thosaigh na hiriseoirí ag béicíl.

'Cad faoin gcairdeas idir Laoise agus Íde?'

'Cathain a thosóidh sibh ag lorg an leabharlannaí?'

Chas Brian Ó Murchú ar a sháil agus d'fhág an seomra.

***

Chuir Máirtín glaoch ar Shaoirse, ag insint an drochscéil di. Bhí sí fós sa leabharlann, ag gabháil trí na comhaid ar ríomhaire Laoise.

'Níl a fhios acu anseo,' ar sí leis. 'Bhí mé ag caint le Deirdre leathuair an chloig ó shin. Ní bhíonn siad ag éisteacht leis an nuacht, bíonn siad chomh gnóthach sin.'

'Agus céard fút féin? Bhfuil aon rud nua ar an ríomhaire?'

'Tá cúpla leid shuimiúil agam.'

'Ó?'

'Sílim go raibh uisce faoi thalamh maidir leis an ealaín agus mar sin de. Bhí gnó de shaghas éigin ar siúl aici.'

'Níl sé sin in aghaidh an dlí.'

'Nílim cinnte faoi sin. Ar aon nós tá rud éigin nach bhfuil ceart faoin modh oibre a bhí aici. Beidh tuiscint níos fearr agam ar ball beag. An mbeidh tú sa bhaile don dinnéar?'

'Beidh,' arsa Máirtín. 'Seans go mbeidh mé ag dul amach arís ina dhiaidh sin ach d'fhéadfaimis rudaí a phlé am dinnéir.'

'Go hiontach!' arsa Saoirse. 'Silim go gcaithfidh mé an chuid eile den lá anseo.'

'Cad faoi do chuid oibre féin?' arsa Máirtín.

content?

'Tá mé meallta aige seo, nílim ag iarraidh éirí as anois go dtí go mbíonn gach rud críortha agam. Beidh gach ríomhphost léite agam roimh a cúig a chlog tráthnóna.'

'*All right,* a stór. Agus bí ar d'aire ag siúl abhaile duit.'

Bhí ciúnas ar an líne.

'Cad é sin?' arsa Saoirse tar éis cúpla soicind, ionadh ina guth.

serial

'Seans gur dúnmharfóir srathach atá i gceist sa chás seo. Laoise agus Íde.'

'A Mháirtín,' bhí Saoirse mífhoighneach anois. 'Níl aon chruthú ann go bhfuil Laoise marbh.'

'Níl, ar ndóigh... ach cén fáth go measaimse go bhfuil, an t-am ar fad?'

Chuir Saoirse síos an fón agus chuaigh amach go dtí an seomra léitheoireachta. Bhí buíon bheag bailithe timpeall ar an deasc ag a raibh Deirdre ag obair, ag tabhairt amach na leabhar. Ba léir gurbh é an dúnmharú a bhí á phlé acu, ón gcuma a bhí ar na guthanna agus na haghaidheanna.

Labhair Deirdre le Saoirse.

''Bhfuil an drochscéal cloiste agat? Táim díreach tar éis é a fháil amach,' chroith sí a ceann i dtreo duine de na léitheoirí, máthair óg agus leanbh i gcarr aici.

'Scéal scanrúil,' arsa Saoirse.

'Bhí aithne aici ar Laoise, tá a fhios agat,' arsa Deirdre. 'An bhean a maraíodh. Íde.'

'Sea, chuala mé sin. Ach seans gur chomhtharlú é mar sin féin,'

'Ní chreidim sin,' arsa an bhean óg. Thug Saoirse faoi deara go raibh aoibh neamhghnách álainn agus chaoin uirthi, an saghas aghaidhe a bhíonn i gcónaí ag gáire. Ach bhí ceo ar an aghaidh sin anois. Bheadh faitíos ar na mná óga ar fad go raibh dúnmharfóir ag imeacht le scód.'

'Níl Laoise marbh,' arsa Saoirse. 'Go bhfios dúinn.'

Chuir léitheoir eile a ladar isteach sa díospóireacht. An fear leis an bhféasóg a bhíodh sa leabharlann go rialta, ag obair ar leabhar faoi stair Dhún an Airgid.

'Tá sí ar iarraidh le seachtain nach mór. Cá bhfuil sí más rud é go bhfuil sí beo fós?'

'Táim díreach ag rá nach ceart go mbeadh imní orainn faoinár sábháilteacht féin. Seans maith go bhfuil Laoise Ní Bhroin beo. Duine rúnda ab ea í... ní bheadh a fhios agat cad a bheadh ar siúl aici.'

'Bhí sí an-mhacánta ina gnó anseo sa leabharlann,' arsa Deirdre, ach i nguth nach raibh ródháiríre.

'Ba bhean an-deas chairdiúil i,' arsa an staraí áitiúil. 'Bhí sí i gcónaí réidh chun cabhrú linne.'

'Sea, bhí,' arsa an spéirbhean óg.

'Bhuel, táimse á rá leat, bí ciallmhar, ach ná bíodh imní ort. Más sólás ar bith é, cuimhnigh nach ndearnadh aon ionsaí gnéasach ar Íde Nic Urnaí. De ghnáth más dúnmharfóir a bhíonn ar ráig bíonn a leithéid i gceist.'

'Hm,' arsa an bhean óg. 'Bhuel, méaranna crosaithe go bhfillfidh Laoise orainn slán sábháilte!' Agus rinne sí féin a méara a chrosadh, rud a bhreathnaigh ait, sa chomhthéacs seo, a shíl Saoirse.

'Amen,' arsa Deirdre. Chrom sí ar na leabhair a bhí ag an mbeirt a stampáil agus tháinig deireadh leis an gcomhrá. Chuaigh Saoirse ar ais go dtí oifig Laoise, ar ais go dtí an ríomhaire.

***

Thiomáin Máirtín amach i gcarr na ngardaí go dtí Baile an Óir, áit a raibh árasán Íde Nic Urnaí. Bhí Siobhán Uí Laighin in éineacht leis. An beart a bhí rompu ná féachaint isteach ar an árasán, áit a raibh garda eile ag déanamh mionscrúdaithe ar gach rud ann, agus ceisteanna á gcur aige ar na comharsana.

Is annamh a tháinig Máirtín amach go dtí an ceantar seo. Is annamh a bhí gá le gardaí ann, mar bhí an áit thar a bheith ciúin agus dleathach. Agus i measc na n-áitreabhach saibhre a chuir fúthu sa bhruachbhaile, ní raibh cara ar bith aige.

'Hm, nár mhaith leat cónaí i dteach mar sin!' arsa Siobhán. Teach mór galánta le colúin chlasaiceacha ar an bpóirse. Gairdíní móra timpeall air, loch beag os a chomhair amach. Bhí crainn mhóra timpeall ar an teach agus an chosúlacht air go raibh páirceanna glasa laistiar de.

'Ba mhaith,' arsa Máirtín. 'Club Gailf is ea é. Nó Club Tuaithe, ba cheart dom a rá.' Thaispeáin sé an fógra di: 'Club Tuaithe Bhaile an Óir. Galf, Leadóg, Snámh, Spa. Bialann 5*. Fáilte roimh bhaill agus iadsan amháin.'

'Oops!' arsa Siobhán.

'Ach tá an ceart agat. Tá a lán de na tithe príobháideacha beagnach chomh mór leis. Féach an ceann sin! A dhiabhail! Cad a chosnaíonn sé teas a choinneáil lena leithéid?'

Stop Siobhán ar feadh soicind chun féachaint ar an teach. Bhí sé an-chosúil leis an gClub Gailf: loch sa phlásóg, agus grianán ollmhór le linn snámha ann ag binn an tí. An chuma ar an teach go raibh sé céad bliain d'aois, cé nár tógadh é ach bliain nó dhó ó shin.

'Cé mhéad seomra folctha a bheadh i dteach mar sin?' a d'fhiafraigh Máirtín di.

'Níl a fhios agam. Ceithre nó cúig cinn.'

'Tá ocht gcinn ann. Is cuimhin liom gur inis Saoirse é sin dom – sna tithe is mó ar an eastát seo. Ocht gcinn. A sheomra folctha féin ag gach ceann de na seomraí leapa, agus tá sé cinn díobh sin ann, agus ansin dhá sheomra folctha bhreise, thíos staighre.'

'Ar eagla go mbeadh deifir ort dul ann,' arsa Siobhán, ag gáire.

Thosaigh sí ag tiomáint arís. 'Lucht an rachmais!' a dúirt sí. 'Agus bhí an bhean bhocht seo ar dhuine díobh siúd go dtí inné.'

Stad an gluaisteán lasmuigh de bhloc árasán. Cúirt an tSionnaigh. Is anseo a bhí a hárasán ag Íde, nó a bhíodh. Bhí carr de chuid na ngardaí sa chlós.

Níor ghnáthbhloc árasán é Cúirt an tSionnaigh. Amhail na tithe i mBaile an Óir, bhí an chuma ar an mbloc seo go raibh sé i bhfad níos sine ná mar a bhí i ndáiríre. Teach mór, ar nós áras thiarna talún, a bhí le feiceáil ón mbóthar.

Pháirceáil siad agus shiúil isteach tríd an doras mór. Bhí halla fairsing laistigh. Toilg agus cathaoireacha uillinn agus plandaí timpeall an halla. Bhí oifig fáilte sa halla mar a bheadh in óstán ach ní raibh éinne ann.

'Hm' arsa Siobhán. 'Dá mba rud é go raibh duine éigin ansin aréir ní foláir nó gur thug sé rud éigin faoi deara. Is chun na háitreabhaigh a choimeád slán atá na daoine seo fostaithe.'

'Fíor duit,' arsa Máirtín.

Bhreathnaigh siad timpeall ach ní fhaca siad éinne.

'Tá sé chomh maith againn dul in airde go dtí an t-árasán,' arsa sé.

Bhí ardaitheoir taobh thiar den halla. Agus bhí foirgneamh eile taobh thiar de sin arís, bloc nua-aimseartha ina raibh na hárasáin go léir. Aghaidh ab ea an teach galánta de dhéantús seanaimseartha.

Bhí árasán Íde ar an tríú hurlár.

Chnag siad ar an doras agus scaoil fear, agus fo-bhríste bán air, isteach iad.

'Haidhe,' a dúirt sé. 'Mise Greg. Maith dom é ach ní

chroithfidh mé lámh libh.'

'*Sure!*' arsa Máirtín. 'Mise an Cigire Máirtín Ó Flaithearta agus is í seo mo chomhghleacaí, Siobhán Ní Laighin.'

'Uí Laighin,' arsa Siobhán.

'Gabhaim pardún, Siobhán Uí Laighin,' arsa Máirtín, ag tabhairt sracfhéachana ar an árasán. Mar a bheifeá ag súil leis, bhí sé fairsing agus sómasach. Rinne Máirtín meastachán tapa ina cheann. Rachadh an t-árasán a bhí aige féin agus Saoirse isteach sa cheann seo faoi shé, mheas sé. Agus gan ach duine amháin ina chónaí ann. Bhuel, is gránna an rud é an t-éad. Agus féach, bhí seisean agus Saoirse fós beo, más in árasán beag féin é.

''Bhfuil aon scéal?' arsa Siobhán, ag labhairt le Greg.

'Bhuel. Tá roinnt rudaí soiléir. Níl comhartha ar bith go raibh coimhlint anseo, nó gur tarraingíodh corpán amach as árasán.'

'Hm,' arsa Máirtín. 'Ciallaíonn sé sin gur fhág sí an t-árasán chun bualadh le duine éigin. An dúnmharfóir.'

Chroith Greg a ghuaillí.

'Nó gur fhág sí an t-árasán agus an dúnmharfóir in éineacht léi.'

'Bhuel… b'fhéidir.' Bhí sé amhrasach.

Sheas Greg ag stánadh air nóiméad. Ansin dúirt sé:

'Bhí cuairteoir ag Íde aréir.'

'An raibh?'

'Labhair mé leis an bhfear slándála sa halla. Ní hé mo ghnó é ach is cuma faoi sin. Bhí seisean ar diúité aréir. Dúirt sé go mbíodh a lán cuairteoirí ag Íde agus nár thug sé mórán airde orthu dá bharr. Ní bheannaíonn formhór na gcuairteoirí dó fiú – tá súilaithne aige orthu agus scaoileann sé isteach iad gan iad a cheistiú. Cé nár chóir dó sin a dhéanamh.'

'Hm,' arsa Máirtín. 'Meas tú an scaoileann sé strainséirí isteach freisin gan iad a cheistiú?'

'Rinne sé é sin aréir de réir dealraimh. Bean ard, agus í gléasta i gcóta bán.'

'Bán?' Bhreathnaigh Siobhán agus Máirtín ar a chéile.

'Sea. Cosúil liomsa, dála an scéil!' arsa Greg.

'Agus ar labhair sé léi?'

'Nope,' arsa Greg. 'Shíl sé gur duine a thagadh anseo go rialta í, cara le hÍde.'

'Agus an bhfaca sé ag fágáil í?'

'Ní fhaca.'

'Cathain a imíonn sé ón halla sin? Ní hamhlaidh go

mbíonn sé ann i rith na hoíche.'

'Ní bhíonn. Imíonn sé ag a deich. Nó d'imigh aréir. Tá duine éigin eile a bhíonn ann istoíche.'

'A thiarcais! Cad a chosnaíonn sé sin ar na tionóntaí?'

'Sé mhíle in aghaidh na bliana, sílim, an táille chothabhála anseo,' arsa Greg.

'Tá gach rud ar eolas agatsa! Nach méanar duit!' arsa Máirtín, é pas beag searbh.

'Tá. Sin an saghas muid, sa phost seo. Bailíonn tú blúirí eolais i rith an ama i ngan fhios duit féin. Ach baineann tú úsáid astu anois is arís.'

'Nach bhfuil an t-ádh libh!' arsa Máirtín. 'Bhuel...cad faoin bhfear a bhíonn ann istoíche. Ar thit a chodladh air nuair nach bhfaca sé corpán á tharraingt amach as an teach?'

'Ní raibh éinne ann aréir,' arsa Greg. 'Bhí an fear a bhíonn ann de ghnáth tinn, agus níor chuir an comhlacht cothabhála ionadaí amach ina áit. Ní raibh éinne ann aréir nó arú aréir. Bhí siad go léir ag gearán'

'Tá cúis ghearáin acu anois,' arsa Máirtín. 'Na hainniseoirí.'

Bhí an fear slándála ina ionad nuair a thuirling siad.

Chuir Máirtín agus Siobhán iad féin in aithne dó agus cheistigh é. Ed ab ainm dó.

Fear sna caogaidí a bhí ann. Bhí sé teasaí agus údarásach, an chuma air go raibh baint aige leis an arm am éigin ina shaol. Croiméal beag air. Labhair sé in abairtí gonta.

'Sea. Chonaic mé bean ag dul isteach.'

'Conas a bhí a fhios agat gur chuig árasán Íde Nic Urnaí a bhí sí ag dul?' arsa Siobhán.

'Bhí súilaithne agam uirthi.'

'Conas sin?'

'Cara le hÍde Nic Urnaí ab ea í.'

'D'aithin tú í?'

'D'aithin. Tagann sí anseo go minic.'

'D'fhéach Máirtín go géar air.'

'Cén chuma a bhí uirthi?'

'Ard. Gruaig fhada dhubh. Cóta bán.'

'Cóta?' arsa Máirtín. 'Bhí an oíche meirbh.'

'Cóta bán.' Smaoinigh sé. 'Agus spéaclaí dubha.'

'Cathain a tháinig sí?'

'Thart faoina seacht.'

'An mbeadh ort spéaclaí dubha a chaitheamh ag an am sin de lá?' arsa Máirtín.

'Bhí siad uirthi,' arsa Ed.

'OK, OK,' arsa Máirtín. '*So*, chuaigh sí suas san ardaitheoir, thart faoina seacht a chlog, agus níor thuirling arís fad a bhí tusa anseo?'

'Níor thuirling.'

'Ar fhág tú an halla ag am ar bith?'

'Téim go dtí an leithreas uaireanta,' arsa Ed. Níor athraigh a ghuth. Labhair sé sa ton céanna an t-am ar fad. 'Ach tá *CCTV* agam. Níor tháinig sí amach.'

'Agus d'imigh tú ag a deich?'

'D'imigh'

'Sin an t-am a imíonn tú i gcónaí?' arsa Máirtín. Bhí sé cosúil le fuil a shú ó chloch eolas a fháil ón bhfear seo.

'Téim abhaile ag a hocht ach toisc nach raibh éinne chun a bheith ag obair istoíche aréir d'fhan mé,' arsa Ed.

'Agus cad faoin *CCTV*? Nach raibh sé sin fós ar siúl aréir.'

'Bíonn de ghnáth. Ach tharla rud éigin aréir.'

'A lán rudaí.'

'Sea,' lig sé osna agus bhí trua ag Máirtín dó ar feadh soicind.

'Theip ar an leictreachas i lár na hoíche. Ó mheán oíche go dtí a dó a chlog.'

'In ainm Chroim!' arsa Máirtín. 'An dtarlaíonn sé sin go minic anseo?'

'Níor tharla sé riamh roimhe seo,' arsa Ed.

'*So...*' Bhreathnaigh Máirtín go géar air. 'Meas tú an comhtharlú a bhí ann?'

'Níl a fhios agam,.' arsa Ed.

'Hm, maith thú,' arsa Máirtín. 'Níl ach ceist nó dhó eile. A haon, bhfuil aon tuairim agat cérbh í an bhean sin, sa chóta bán?'

'Tá a fhios agam cé hí,' arsa an fear. 'Laoise Ní Bhroin is ainm di.'

'Cad é?'

'Laoise Ní Bhroin. Cara le hÍde Nic Urnaí,' arsa Ed.

Cén fáth nach ndúirt tú sin roimhe seo?

'Tá a fhios agat go bhfuil Laoise Ní Bhroin ar iarraidh le seachtain anois?' arsa Máirtín.

'Níl a fhios,' arsa an fear. Ba é seo an chéad rud a bhain geit as. Bhí ionadh an domhain air.

'Bhí sé ar an nuacht ar maidin,' arsa Máirtín. Bhreathnaigh Máirtín go géarchúiseach air. An raibh an

124

fhírinne á hinsint aige?

'Níor chuala mé an nuacht ar maidin,' arsa an fear. 'Bhí mé anseo ag obair.'

'Bhuel. Tá a fhios agat anois,' arsa Máirtin. 'An bhfuil tú cinnte gurbh ise, Laoise Ní Bhroin a bhí anseo aréir?'

Bhreathnaigh Ed go géar air.

'Tá súilaithne agam uirthi. Táim cinnte gurbh ise a bhí ann.'

'Hm,' arsa Máirtín. 'Ceist amháin eile. Cad is ainm don duine eile a bhíonn ag obair anseo mar fhear slándála? An féidir liom fios a chur air?'

'Leo Brown is ainm dó,' arsa an fear. 'Níl a fhios agam cá bhfuil cónaí air ach tá uimhir fón póca agam dó.'

Shín sé uimhir fóin chuig Máirtín.

'Go raibh míle maith agat,' arsa Máirtín. 'Ba mhór an chabhair a thug tú dúinn. Ba mhaith linn labhairt le gach duine atá ina gcónaí anseo sna hárasáin. Cad é an tslí is fearr chun sin a dhéanamh?'

Mhol Ed dóibh glaoch a chur orthu. Thug sé liosta ainmneacha, seoltaí, agus uimhreacha teileafóin dóibh. Liosta fada a bhí ann. Dúirt sé go gcuirfeadh sé fógra in airde ag iarraidh ar éinne a raibh eolas ar bith acu dul i dteagmháil le stáisiún na ngardaí.

Leis sin, d'fhág Máirtín agus Siobhán Cúirt an tSionnaigh agus thiomáin siad ar ais go dtí an stáisiún.

***

Bhí Saoirse ina suí ar an mbalcóin, gloine fíona á hól aici, nuair a tháinig Máirtín abhaile thart faoina sé. Bhí mionsciorta agus t-léine á caitheamh ag Saoirse, spéaclaí dorcha ar a súile aici. An ghrian íseal ar dhath na meala, ach láidir sa chaoi gur theastaigh cosaint ar na súile.

'Beidh rud éigin ann le hithe i gceann leathuaire,' arsa Saoirse. 'Tá sicín agus brocailí san oigheann.' Rinne Máirtín leathgháire. Níor thaitin brocailí leis. Agus ní raibh sé róthugtha do shicín ach an oiread. 'Agus toirtín úll, beidh áthas ort a chloisteáil,' chuir sí aguisín lena habairt agus shín gloine fíona chuige. Bhí buidéal i mbuicéad oighir ar an mbord beag a bhí ar an mbalcóin acu.

'Go raibh maith agat,' arsa Máirtín. ''Bhfuilimid ag ceiliúradh?'

'Ar bhealach,' arsa Saoirse. 'Táim ag ceiliúradh a bheith beo ar lá chomh haoibhinn leis seo. Agus,' stán sé air, 'táim ag ceiliúradh na hAoine. An amhlaidh nár thug tú faoi deara gur Dé hAoine atá ann.'

'Seachtain ó d'imigh sí,' arsa Máirtín go mall. 'Bhí dearmad déanta agam. Táim chomh gnóthach sin.'

'Tá,' arsa Saoirse. 'Agus beimid gnóthach, go ceann tamaillín eile.'

'Tá an baol sin ann,' ar seisean, an fíon á ól go mall aige. Mhínigh sé di cad a bhí tar éis titim amach. Gurbh amhlaidh a thug Laoise cuairt ar Íde aréir.

'An Laoise a mharaigh Íde Nic Urnaí?' arsa Máirtín. 'Agus más ea, cén fáth? Agus cá bhfuil sí i bhfolach?'

Leag Saoirse lámh ar a ghualainn.

'Tá a lán ceisteanna le réiteach,' ar sise. 'Ach caithfidh tú sos a thógáil anois is arís. Tá an fómhar ag teacht. Ní fada eile a bheidh ar ár gcumas suí lasmuigh mar seo.'

'Ní fada,' arsa Máirtín.

Bhreathnaigh sé ar na gairdíní beaga néata thíos faoi, agus na crainn sa pháirc, agus na cnoic chorcra ar imeall na spéire.

'Tá radharc aoibhinn againn, nach bhfuil?' a dúirt sé.

'Táim an-sásta leis,' arsa Saoirse. 'Tá an t-ádh linn go bhfuaireamar an áit seo, agus go bhfuil an deis againn cónaí i nDún an Airgid.'

'An Útóipe seo,' arsa Máirtín, searbhas ina ghuth. Bhain Saoirse na spéaclaí dorcha di go mall agus leag ar a glúine iad. Thug sí féachaint fhada ghéar ar Mháirtín.

'*So* cad atá ag cur isteach ortsa? Tá a fhios agat gur Útóipe é, i gcomparáid le formhór gach áit eile a bhféadfainn smaoineamh air.'

Thug Máirtín póg di agus rinne gáire.

'Ceart go leor, ceart go leor. Táim fós ag smaoineamh ar chúrsaí oibre.'

D'éirigh Saoirse. Bhí boladh láidir ag teacht ón oigheann.

'Bhuel, tuigim sin. Agus dála an scéil, níl aon rud gur fiú trácht air faighte amach agamsa ón ríomhaire sin.'

Mhínigh sí cad a tharla. Ghlaoigh cara uirthi. Bhí uirthi an leabharlann a fhágáil go luath agus níor éirigh léi an obair a chríochnú.

'Rachaidh mé ar ais ar an Luan,' a dúirt sí, an t-oigheann á oscailt aici. Tháinig bús mór deataigh amach as. Thosaigh an t-aláram ag bualadh. Ach rith Máirtín agus dhún doras na cistine go tapa agus stop an rud ag séideadh. Lig siad beirt osna bhuíochais.

Bhí béile taitneamhach acu, amuigh ar an mbalcóin. D'fhan siad amuigh agus an ghrian ag dul faoi. Ansin d'fhan siad go dtí gur thit an oíche ar Dhún an Airgid, go dtí go raibh na soilse sna tithe ag lonrú ar fud na háite ar nós réaltaí, agus na réaltaí sa spéir os a gcionn ag lonrú ar nós na soilse sna tithe.

Match/merriage = proposal

Oíche mhaith a bhí ann chun cleamhnas a dhéanamh, dar le Máirtín. Oíche Dé hAoine. Réaltaí sa spéir. Leathghealach. Iad amuigh ar an mbalcóin. Saoirse i ndea-ghiúmar.

Bhí na coinníollacha ar fad chomh hoiriúnach agus a d'fhéadfadh a bheith.

Cén fáth nach ndearna sé é? Dul síos ar a ghlúine agus na focail sin a rá a bhí ráite míle uair cheana sna scannáin ar fad.

'An bpósfaidh tú mé?'

Nó 'Ar mhaith leat mé a phósadh?'

Nó ' Ar mhaith leat ...?'

Cad é?

'Tá a fhios agat ...'

'Níl a fhios. Cad atá uait?'

'An bpósfaidh tú mé?'

An amhlaidh go ndúirt éinne na focail sin? Sa lá atá inniu ann? Má dúirt riamh? Cén fhianaise a bhí ann go ndúirt i ndáiríre, ach i scéalta a scríobhadh go minic ag daoine nár phós éinne?

'An bpósfaidh tú mé?'

Dhéanfadh Saoirse gáire. Bheadh sé ina cheap magaidh aici.

'Ar mhaith leat mé a phósadh?'

'Gread leat a amadáin!' a déarfadh sí.

Ach mura ndéarfadh seisean é, cé a déarfadh? Ní raibh Saoirse chun iarraidh air siúd pósadh. Níor chóir dó é sin a éileamh uirthi.

Is air siúd a thit an dualgas.

B'in bun agus barr an scéil.

Thóg sé braon fíona eile. Bhí siad ar an dara buidéal. Bhreathnaigh sé ar na réaltaí, sa spéir mhór sin a bhí chomh tiubh agus dubh le veilbhit.

'A Shaoirse,' a thosaigh sé. Stad sé.

Bhreathnaigh sí air, grá ina súile. Bhí an spéir dorcha réaltach laistiar dá cloigeann beag dea-chumtha; an oíche mar chanbhás dá háilleacht.

'Sea?' ar sise.

'Faic,' a dúirt sé.

'Ceart go leor,' arsa Saoirse. 'Tá ceist agamsa ortsa más ea.'

Baineadh geit as Máirtín. An amhlaidh go raibh sise chun an cheist a chur?

Ach, 'Ar mhaith leat dul go dtí an trá amárach?' a dúirt sí.

'Tá an iomarca le déanamh agam,' dúirt sé. 'Mar is eol duit féin.'

'Déanfaidh sé maitheas duit sos a thógáil ón rud ar fad.'

Bhí a fhios aige go raibh an ceart aici.

10

Maidin Dé Sathairn thiomáin siad go dtí an cósta chomh
luath agus a bhí an bricfeasta thart.

Bhain siad an trá amach ag a haon déag a chlog. Ní raibh
mórán daoine ann rompu. Cé go raibh an lá grianmhar
brothallach bhí leid san atmaisféar go raibh meath ag
teacht ar an samhradh. Bhí boladh an fhómhair san aer,
fiú amháin cois farraige. Agus chomh maith leis sin, bhí
an chosmhuintir gnóthach, ag baint leasa as an Satharn
chun ullmhú don tseachtain oibre agus scoile a bhí le
teacht.

Bhí corrdhuine ag siúl cois farraige, mar a bhíonn gach
séasúr den bhliain, iad gléasta i bhfeisteas spóirt, agus
beirt ag rothaíocht – trá fhada ab ea an ceann seo, an
gaineamh crua go maith nuair a bhí lag trá ann, mar a bhí
anois. Faoileáin agus gainéid ag tumadh san uisce i bhfad
amach ón trá. Amplóirí ina suí ar charraig dhubh a bhí ag
gobadh amach ag bun an chladaigh. Chuir siad ollúna i
gcuimhne do Shaoirse, iad feistithe i ngúnaí móra dubha,
na sciatháin á leathadh acu agus iad ina suí ar a sáimhín
só gan cor astu.

Shiúil siad tamaillín, ag baint suilt as an suaimhneas, ag sú isteach aer na sáile, breá folláin. Bhí áthas ar Mháirtín gur ghéill sé do Shaoirse, gur ghlac sé lena cuireadh teacht go dtí an trá. Bhí obair le déanamh sa bhaile i nDún an Airgid. Bean amháin marbh. Bean eile ar iarraidh. Dúnmharfóir agus rith an rása leis. Ach rinne sé maitheas dó éalú ón ruaille buaille sin ar feadh tamaillín. Rinne sé maitheas dó gan a bheith ag plé leis an urchóid a bhí i réim, le seachtain anuas, i nDún an Airgid. Mar b'in a bhí i gceist. Olc. Donas. Urchóid. Níor thuig sé cad a bhí ar siúl ach thuig sé nárbh aon rud maith é.

Íde Nic Urnaí sínte ar chlár sa mharbhlann inniu. Seachtain ó shin bhí sise anseo, cois farraige. Sínte ar an ngaineamh, seans, ag sú na gréine. Agus anois... imithe. Críoch léi. Smaoinigh sé uirthi, í gealgháireach, cainteach. A bróga dearga. A *crocs*. An aghaidh bheag fhuinniúil a bhí uirthi, aghaidh a bhí ar aon dul le liathróidín rubair.

Aghaidh fhuar cloiche uirthi anois, marmar, ag feitheamh le dul faoi chré.

Agus Laoise Ní Bhroin? An raibh lámh aici siúd i mbás Íde? Agus más ea, cén chúis a bhí aici a cara féin a mharú?

'An stopfaimid anseo?' arsa Saoirse, á mhúscailt as a smaointe.

Baineadh geit as. Léim sé.

'Sea, tá sé go breá anseo,' a dúirt sé.

Leag Saoirse ruga ar an ngaineamh agus chuir siad fúthu. Bhí cnocán luachra taobh thiar díobh, mar fhothain ó ghaoth ar bith a bheadh ag teacht aniar aduaidh orthu, agus gan amach rompu ach an fharraige.

'Rachaidh mé ag snámh,' arsa Máirtín.

Bhí culaith rubair aige i mála ar a dhroim. Cheannaigh sé an chulaith seo in ollmhargadh ag tús an tsamhraidh agus b'fhearr leis thar aon ní eile dul ag snámh ann.

Thosaigh sé á cur air féin.

Ní raibh sé furasta. *easy*

Bhí dearmad déanta aige ar bhosca veasailín a thabhairt leis. Sin an cleas, leis na cultacha sin: veasailín a chuimilt ar do ghéaga. Ansin sleamhnaíonn an chulaith ort mar a bheadh craiceann nua ag fás ort. Ach ní raibh veasailín aige agus dá bhrí sin bhí sé ar nós iarracht a dhéanamh é féin a dhoirteadh isteach i gcraiceann duine éigin eile, a bhí dhá nó ceithre thoise níos lú ná mar a bhí sé féin. Craiceann Chóitín Luachra ag dul ar an deirfiúr mhór ghránna.

Tharraing sé agus bhrúigh sé agus bhrúigh sé agus tharraing sé.

Tar éis dó ceathrú uaire a chaitheamh ar an mbealach seo, bhí sé dearg sa ghnúis agus is ar éigean a bhí sé ábalta anáil a tharraingt. Ach bhí a chulaith air, gach cuid de, fiú na lapaí móra ar dhath oráiste.

'An bhfuil siad sin úsáideach?' a d'fhiafraigh Saoirse de. Shíl sí go raibh sé ag dul thar fóir, leis na lapaí.

'Tagann siad leis an gculaith,' arsa Máirtín. 'Agus cosnaíonn siad mo chosa ar na clocha agus na sliogáin, agus mé ag siúl síos go dtí an t-uisce.'

Agus ar aghaidh leis, ar nós éin mhóir dhuibh, nó ollphéist éigin, ag lapadáil leis chun na farraige síos. Plais! Isteach leis.

Shuigh Saoirse, ag féachaint ar a grá geal, a cheann beag dubh ar bharr an uisce, agus a lapaí móra oráiste ar bharr an uisce freisin.

***

Nuair a d'fhill siad ón trá tráthnóna, sheiceáil Máirtín a bhosca ríomhphoist. Cé go raibh sé geallta aige nach ndéanfadh sé obair ar bith an lá áirithe seo, ghéill sé do mhealladh an ríomhphoist. Seans, ar ndóigh, go mbeadh teachtaireacht phearsanta ann dó agus go mbeadh sé ina chaitheamh aimsire é sin a léamh. Ach ní raibh teachtaireacht phearsanta ann. Ní raibh aon rud ann ach teachtaireachtaí áiféiseacha ag iarraidh air Viagra agus uaireadóirí a cheannach, agus teachtaireacht amháin ó Shiobhán Uí Laighin, a chomhghleacaí sna gardaí. D'oscail sé an teachtaireacht. Tuairisc fhada leis mar aguisín. Léigh sé an tuairisc. Níorbh obair é sin, ach léitheoireacht. Ar aon nós, ní raibh ar a chumas a chíocras a cheilt chun a raibh sa tuairisc a fháil amach.

Bhí Siobhán tar éis agallamh a chur ar chara le hÍde Nic Urnaí, Eibhlín Mhic Gabhann. Bean a bhí ag obair mar phleanálaí i gComhairle Dhún an Airgid ab ea Eibhlín. Bhíodh teagmháil phroifisiúnta aici le hÍde, chomh maith le gaol pearsanta. Bhí siad sa chlubleabhar céanna.

De réir Eibhlín, bean nach raibh mórán as an ngnáth ag baint léi ab ea Íde Nic Urnaí. Beagnach tríocha bliain d'aois. Í ina hinnealtóir éifeachtach. Cónaí uirthi ina haonar san árasán i gCúirt an tSionnaigh le bliain anuas. Roimhe sin bhí teach ar cíos aici in eastát na Sabhaircíní. Bhí roinnt mhaith cairde aici, í ina ball de chlub leabhar, de chlub leadóige, agus de chlub gailf. Is annamh a chaith sí oíche ina haonar, bhí dúil aici i gcomhluadar.

Fear ar bith ina saol?

Ní raibh, go bhfios d'Eibhlín.

Nár shíl sí go raibh sé sin neamhghnách?

Ní raibh aon tuairim aici faoi sin.

Shíl Eibhlín nach raibh gaolta ar bith ag Íde. Ní raibh siad i nDún an Airgid, pé scéal é. Agus níor luaigh Íde éinne riamh, ach a máthair, a fuair bás tamall roimhe sin, sular tháinig sise go Dún an Airgid. Ar nós Laoise. Stad Máirtín den léamh nóiméad. Beirt bhan, cairde, agus an bheirt gan aon ghaolta. Gan fir. Seachas an fear sin, Marc Ó Muirí, nach raibh fiosraithe go fóill aige. Ach níor chreid Máirtín gurbh aon chara le Laoise eisean. Bhí gaol éigin eile eatarthu, seachas cairdeas. Gaol gnó, ina thuairim. Ar chomhtharlú é seo, nó an raibh míniú éigin le baint as?

Níor dhílleachta í Íde, áfach. Cailleadh a máthair dhá bhliain roimhe sin agus d'fhág teach luachmhar agus maoin eile ag a hiníon. Is i ndiaidh di teacht ar an airgead sin a cheannaigh Íde an t-árasán i gCúirt an tSionnaigh.

An raibh naimhde ar bith aici?

Ní raibh. A mhalairt. Bhí gach duine an-cheanúil uirthi. Ba dhuine muinteartha cineálta í, a chuir daoine ar a suaimhneas.

Bhí eachtra amháin a tharla nach raibh chomh suaimhneach sin. Bliain ó shin nó mar sin bhí sí sáite i gconspóid éigin ach bhí sé áiféiseach agus níor mhair an chonspóid ach coicís nó mar sin. Leag Íde ráth sí a bhí

Iasmuigh d'eastát na Sabhaircíní, chun bóthar a thógáil, bóthar a bhí de dhíth go géar ar áitreabhaigh Dhún an Airgid. Ar ndóigh bhí dream ann a thóg raic, a chuaigh i gcoinne lucht tógála an bhóthair agus a bhagair gach tragóid dá leagfaí an ráth seo – ionad seandálaíochta nach bhféadfá luach a lua leis, a bhí níos sine ná Brú na Bóinne. An gnáthrud. Bhí roinnt mórshiúlta agóide – mórshiúlta beaga – agus alt nó dhó sa nuachtán áitiúil inar ainmníodh Íde mar namhaid an phobail. Ach níor ghéill sise, nó a comhlacht. Tógadh an bóthar agus níor chualathas a thuilleadh faoin ráth, nó faoin tseandálaíocht. Bhí daoine an-sásta leis an mbóthar nua. Bhí baint ag Eibhlín Mhic Gabhann le tógáil an bhóthair sin freisin, mar bhí baint aici le gach ar tharla maidir le tógáil i nDún an Airgid. Bhí sí go mór i bhfabhar an bhóthair.

An raibh aon fhadhb mhór i saol Íde? Aon rud a thabharfadh cúis do dhuine éigin a bheith mar namhaid aici?

 Rud amháin. Chuala sí ráfla faoin oidhreacht a fuair Íde óna máthair. Ní raibh aithne ag Eibhlín nó ag a cairde ar mháthair Íde, nó ar Íde féin go dtí gur tháinig sí go Dún an Airgid dhá bhliain roimhe sin. Ach chuala sí gur bhaintreach í máthair Íde, toisc gur éag athair Íde blianta roimhe sin. Ach bhí páirtí ag a máthair le blianta fada, a bhí níos óige ná í féin. Bhí ceist éigin faoin uacht. Go raibh sé i gceist aici uacht eile a dhéanamh ina bhfágfadh sí an teach aige siúd. Go raibh éileamh aige siúd ar an teach. Fadhb éigin mar sin. Ní raibh na sonraí aici agus seans nach raibh ann ach cúlchaint. Ar aon nós fuair Íde an teach agus gach rud eile a bhí ag a máthair le fágáil ina diaidh, chomh fada agus a thuig sí.

Ní raibh a fhios ag Eibhlín cén t-ainm a bhí ar an bhfear a bhí i gceist.

Cén saghas gaoil a bhí ag Íde le Laoise Ní Bhroin?

Cairde.

An raibh aon rud eile i gceist?

Bhí Eibhlín cinnte nach raibh.

Tháinig an bháisteach Dé Domhnaigh.

Nuair a dhúisigh Saoirse chuala sí na braonacha báistí ag bualadh in aghaidh na balcóine, amhail is dá raibh an foirgneamh á ionsaí ag slua meaisínghunnadóirí. Rómhall a chuimhnigh sí go raibh cúisíní fágtha ar na cathaoireacha lasmuigh aici. Amach léi go dtí an bhalcóin. Ní raibh sna cúisíní ach giobail fhliucha. Chaith sí sa bhruscar iad.

D'éirigh Máirtín agus bhreathnaigh amach.

Lig sé osna.

Bhí sé dulta i dtaithí ar an ngrian, agus ar an solas órga agus an spéir ghorm a chuaigh leis. Anois bhí Dún an Airgid chomh liath le luaidhe. Gruaim san aer, fiú istigh san árasán. Chuir sé an raidió ar siúl chun dreas den cheol meidhreach a chloisteáil. *Raindrops are falling on my head* a bhí ar siúl. De réir dealraimh bhí an bháisteach go forleathan ar fud na tíre. Bhí muintir na hÉireann ar fad ag fulaingt. An ghrian ag taitneamh an tseachtain ar fad agus anois teacht an Domhnaigh, an tuile seo.

'Maith an rud é go ndeachamar go dtí an trá inné,' arsa Saoirse. Bhreathnaigh sí ar nuachtán an tSathairn, ar chlár na scannán.

'Ar mhaith leat teacht liom go dtí scannán tráthnóna? *P.S. I Love You*, tá sé sin ar siúl.'

Ní raibh fonn ar Mháirtín é a fheiceáil.

Bheartaigh sé dul chun cainte le Marc Ó Muirí, roimh lón.

'Beidh sé ar Aifreann,' arsa Saoirse.

'Tar éis lóin mar sin,' arsa Máirtín. Smaoinigh sé ar dhul ar Aifreann é féin ach bheartaigh gan dul. Bhí an lá róghránna. Bheadh an séipéal fuar agus tais.

Dúirt Saoirse go gcaithfeadh sí an mhaidin, a raibh fágtha de, ina stiúideo, ag péinteáil, agus seans go rachadh sí go dtí an scannán sin tráthnóna. Bhí siopadóireacht le déanamh freisin, san ionad siopadóireachta. Gheall Máirtín go ndéanfadh seisean é. Shocraigh siad bualadh le chéile i mbialann i lár an bhaile don dinnéar, ag a seacht.

***

Fear in aois a daichead ab ea Marc Ó Muirí. Bhí sé ard, níos mó ná sé throigh. Gruaig dhubh, súile donna. Dathúil freisin. Níor thug Máirtín rudaí mar sin faoi deara go hiondúil, i gcás na bhfear, ach sa chás seo ní fhéadfá gan aird a thabhairt air. Réalta. Agus é ina shuí ansin, *jeans* agus t-léine air, sa chistin.

Go tobann, bhuail éad é. Dar leis féin, bhí sé ceart go leor, dea-chumtha. Bhí sé ar meánairde, agus bhí sé aclaí gan a bheith tanaí. Bhí gruaig dheas fhionn aige. Bhí gruaig aige! Rud nach raibh ar roinnt mhaith dá chairde. Shíl sé go raibh sé tarraingteach a dhóthain. Thit Saoirse i ngrá leis, bhí sí fós i ngrá leis.

Níor smaoinigh sé ar na cúrsaí seo riamh. Ach amháin nuair a bhuail sé le leithéid Mharc Uí Mhuirí. Dia i measc na bhfear. Ansin rith sé leis nach raibh sé féin ina dhia, ach ina ghnáthchréatúr, nach gcuirfeadh cailín... bean ... as a meabhair le grá, riamh. Ní raibh sé cothrom go raibh an bua seo ag daoine áirithe, agus nach raibh ag daoine eile.

Bhí Marc ina shuí ina chistin, sa teach beag a bhí aige i mBaile na mBocht. Cistin bheag ab ea é ach é thar a bheith néata. Ní raibh blúire aráin nó cupán as áit le feiceáil ann.

'Tá a fhios agat go bhfuil Laoise Ní Bhroin ar iarraidh?' arsa Máirtín.

'Chuala mé rud éigin faoi sin, ar an nuacht,' arsa Marc.

'Bhí aithne agat uirthi?' arsa Máirtín, ag faire ar Mharc chun féachaint conas a rachadh an cheist i bhfeidhm air.

Bhí an chuma air go raibh sé ag súil leis, mar cheist. Níor athraigh a ghnúis.

'Bhí aithne agam uirthi.'

'Cén saghas aithne?'

'Cad atá i gceist agat?' arsa Marc.

'An raibh sibh ag siúl amach le chéile, mar shampla?' arsa Máirtín.

Rinne Marc gáire.

'In ainm Dé. Fear pósta is ea mé. Tá beirt mhac agam,'

Tháinig ionadh ar Mháirtín. Ní raibh an chuma ar Mharc gurbh fhear pósta a bhí ann. Agus ní raibh an chuma ar an teach seo gur teach é ina raibh teaghlach ina chónaí, go háirithe teaghlach ina raibh beirt bhuachaillí.

Cá raibh an stuif go léir a bhíonn caite thart ag beirt ghasúr? Na bréagáin agus na málaí scoile agus na cótaí agus na dlúthdhioscaí? Aon uair a leag Máirtín cos i dteach ina raibh páistí ag cur fúthu chuir sé iontas air go bhféadfadh éinne cónaí i measc an bhruscair a bhailigh mórthimpeall ar dhaoine óga. Ach bhí teach Mharc nach mór chomh néata agus cliniciúil le teach Laoise Ní Bhroin.

'Cá bhfuil siadsan faoi láthair?' arsa Máirtín.

Níor chuir an cheist as do Mharc. D'fhreagair sé ar an bpointe é.

'Tá siad as baile. Ar cuairt ar mháthair mo chéile don deireadh seachtaine.'

'Tuigim,' arsa Máirtín. 'Ar mhiste leat seoladh agus uimhir fóin a thabhairt dom do mháthair do chéile. Seans go mbeidh orm labhairt le do bhean.'

'Fadhb ar bith,' arsa Marc. Ach an uair seo bhí scáth le feiceáil ar a ghnúis. Ní raibh sé sásta go mbeadh Máirtín ag dul i gcomhairle lena bhean, de réir dealraimh, shíl Máirtín. Bhí rud éigin á cheilt aige.

Cheistigh Máirtín ansin é faoina chúlra féin. Siúinéir ab ea é. Tháinig sé chun cónaithe i nDún an Airgid bliain ó shin, mar thuig sé go mbeadh a lán oibre ann do cheardaí mar é féin. Agus bhí. Bhí sé i gcónaí gnóthach. Bhí daoine i nDún an Airgid de shíor ag cur cófraí nua isteach, nó ag iarraidh seomraí a roinnt suas, nó a leithéid. Is beag duine na laethanta seo a raibh ar a chumas aon tsiúinéireacht dá chuid féin a dhéanamh. Ba mhinic é ag cur le chéile na mball troscáin as na pacáistí réamhréitithe sin a cheannaigh daoine in *IKEA* agus *Dunnes*, cé nach ndearna sé sin ach nuair nach raibh aon obair níos fearr ar fáil dó.

Bhí a bhean chéile ag obair mar chléireach i gceann de na comhlachtaí tógála. Ó Murchú agus Ó Murchú.

Hm, arsa Máirtín, i ngan fhios dó féin. B'in an comhlacht a raibh Íde Nic Urnaí ag obair ann.

Fuair sí an post sin sé mhí ó shin. Roimhe sin chaith sí tréimhse sa bhaile, ag tabhairt aire do na páistí.

Chuir seisean, Marc, aithne ar Laoise Ní Bhroin mar a chuir sé aithne ar a lán daoine. Trína chuid oibre. Chuir sí glaoch air trí mhí ó shin nó mar sin, ag iarraidh air vardrús mór a chur isteach i gceann dá seomraí. Rinne sé an jab sin agus ansin le déanaí d'iarr sí air rud éigin eile a dhéanamh sa teach. Bhí sé i dteagmháil léi faoi sin, tríd an ríomhphost. Bhí sé le dul amach chuici Dé Sathairn seo caite ach nuair a chuaigh sé go dtí an teach ní raibh sí sa bhaile. B'in an uair dheireanach a raibh baint de shaghas ar bith aige léi.

'Níor chuir tú glaoch uirthi chun a fháil amach cad a bhí

tarlaithe?'

'Níor chuir,' arsa Marc. 'Bhí an iomarca oibre idir lámha agam cheana féin. D'fhan mé chun go gcuirfeadh sise glaoch ormsa.'

'Sea, sin an gnáthrud is dócha,' arsa Máirtín.

'Sea. Is minic daoine ag smaoineamh ar rud éigin a dhéanamh sa teach, agus ansin athraíonn siad a n-intinn, agus cuireann ar athlá é. Tarlaíonn sin an t-am ar fad,' arsa Marc.

Ní raibh tuairim ar bith ag Marc cá raibh Laoise anois, nó cad a bhí tarlaithe di.

Maidir le hÍde Nic Urnaí, ní raibh aon aithne aige uirthi nó eolas aige ina taobh.

'Cá raibh tú oíche Dé Céadaoin seo caite?' arsa Máirtín.

Ní raibh air smaoineamh.

'Bhí mé sa bhaile anseo leis na páistí. Bhí mo bhean amuigh ag scannán.'

'Cén scannán?'

'P.S. I Love You,' arsa Marc. 'Bhí mise i bhfeighil an tí agus na leaids. Bhreathnaigh mé ar an teilifís agus rinne mé roinnt oibre tí. Tháinig Trish abhaile ag a haon déag nó mar sin agus chuamar a luí.'

'Cad a bhí ar an teilifís?' arsa Máirtín.

'Ní cuimhin liom – an nuacht agus Prime Time, sílim.'

'Ceart go leor,' arsa Máirtín. Cé nach raibh, mar bíonn an nuacht agus Prime Time ar an teilifís gach oíche, beagnach.

Ghabh sé buíochas leis agus dúirt go rachadh sé i dteagmháil leis arís dá mba ghá. D'fhág sé an teach.

Lasmuigh ar an mbóthar bhí SUV mór páirceáilte.

'An leatsa an carr sin?' arsa Máirtín, ionadh air arís.

'Sea,' arsa Marc, ar a chosaint, beagáinín. 'Is liom.'

'Caithfidh go bhfuil a lán oibre á fáil agat i nDún an Airgid, ceart go leor,' arsa Máirtín.

Rinne Marc gáire agus chroith sé a ghuaillí.

'Tá tú sa phost mícheart, a chigire!'

***

Ghlaoigh Máirtín ar an uimhir fóin a fuair sé ó Mharc chomh luath agus a shroich sé an baile.

D'fhreagair Trish Uí Mhuirí, bean Mharc, beagnach láithreach.

Dheimhnigh sí gach a raibh ráite ag Marc. Bhí sí féin agus a clann mac ar cuairt lena máthair inniu. Oíche Dé Céadaoin, bhí sí sa phictiúrlann. Nuair a d'fhill sí abhaile bhí Marc ann, agus chuaigh siad a chodladh beagnach láithreach.

Cad faoi Laoise Ní Bhroin? An leabharlannaí a bhí ar iarraidh?

'Bhí aithne agam uirthi,' arsa Trish. 'Mar téim go dtí an leabharlann go minic leis na buachaillí, agus tógaim féin leabhair ar iasacht. Bhí a fhios agam go raibh sí ar iarraidh mar bhí mé sa Leabharlann Dé Máirt seo caite. Thug mé faoi deara nach raibh sí ann agus dúirt an bhean eile a bhíonn ag obair ann go raibh sí imníoch fúithi.'

'Ar labhair tú faoi seo le d'fhear céile?' arsa Máirtín.

'Níl a fhios agam,' arsa Trish. 'Sea, is dócha go ndearna.'

'An raibh aithne aige siúd ar Laoise Ní Bhroin?' arsa Máirtín.

'Ní raibh,' arsa Trish. 'Ní léann sé leabhair. Agus is mise a théann ansin leis na buachaillí, de ghnáth.'

'Ceart go leor,' arsa Máirtín. 'Go raibh míle maith agat. Ba mhór an chabhair é sin. Cur glaoch orm má chuimhníonn tú ar aon rud eile.'

Leag sé uaidh an guthán.

Bhí Marc ag insint bréag. Ar a shon féin nó don bhean.

Nó don bheirt acu.

Dúirt sé gur chuala sé faoi Laoise ar an nuacht. Ach bhí a fhios aige cheana féin Dé Máirt, óna bhean chéile, go raibh sí ar iarraidh. Cad a bhí ar siúl aige? Bhí an scéal an-chasta.

Bhreathnaigh sé amach tríd an bhfuinneog. Ní raibh sé ag cur a thuilleadh, ach bhí an tráthnóna tais agus fuar. An teocht tar éis titim go dtí ocht gcéim, tar éis é a bheith ag ocht gcéim déag inné.

Chuaigh sé isteach sa seomra folctha breá a bhí acu agus chuir na buacairí ar siúl. Bhí folcadh guairneáin acu. Líon sé go barr é. Bheadh folcadh mór te aige, agus ansin bhuailfeadh sé le Saoirse istigh sa *plaza*, i dTigh Mhollaí, ceann de na bialanna ab fhearr i nDún an Airgid. Dhéanfadh sé na fadhbanna a phlé le Saoirse. Seans go mbuailfeadh smaoineamh éigin duine acu tar éis oíche mhaith chodlata a fháil.

11

Chuaigh Saoirse go dtí an leabharlann an chéad rud ar maidin.

Bhí an díle báistí stoptha, ach lá liath, gruama ab ea é, gan teas ar bith ann. Bhí cóta á chaitheamh aici den chéad uair le fada an lá. Mar an gcéanna do na daoine go léir a bhí ag brostú isteach go lár an bhaile, go dtí na hoifigí agus na siopaí. Drochghiúmar ar dhaoine nach raibh orthu le tamall anuas. Maidin Luain i nDeireadh Fómhair faoi spéartha dorcha – fiú amháin i nDún an Airgid, bhuail gruaim daoine maidin mar seo.

Bhí Deirdre Uí Cheallaigh agus Seán Ó Móráin ann nuair a tháinig sí, nóiméad tar éis don leabharlann na doirse a oscailt.

Bhí siad ciúin.

'Seachtain iomlán imithe agus níl tásc ná tuairisc uirthi,' arsa Seán.

Bhí a fhios ag Saoirse go raibh seans go bhfacthas Laoise ar an gCéadaoin, ag árasán Íde Nic Urnaí, ach ní dúirt sí faic faoi sin.

'Níl seachtain chomh fada sin,' arsa Saoirse. Ba léir go raibh fearg ar Sheán. Bhí sé ag iompar beart mór leabhar agus an chuma air gur mhaith leis iad a chaitheamh le duine éigin. Saoirse, mar shampla.

'Agus anois tá siad ag rá gur Laoise a mharaigh an bhean eile sin,' ar seisean. 'Humph! Raiméis.'

'Cé atá á rá?' arsa Saoirse.

'Daoine,' arsa Seán. 'Thart faoin mbaile. Anseo sa leabharlann freisin.'

'Ní mise a dúirt é,' arsa Deirdre.

Bhreathnaigh sé go nimhneach orthu.

'Éinne a cheapfadh a leithéid tá sé as a mheabhair,' ar sé. 'Ní raibh bean ar domhan chomh caoin le Laoise Ní Bhroin.'

D'imigh sé leis, isteach ar chúl na leabharlainne.

'Ná bac leis,' arsa Deirdre. 'Ar ndóigh tá sé ag éirí an-imníoch. Mar atáimid go léir. Cá bhfuil sí?'

Dúirt Saoirse go dtosóidís ag cuardach i gceart inniu – cé nach raibh sí cinnte an ndéanfadh. Agus chuirfidís fógra amach thar lear, ar *Interpol*, mar, ar ndóigh, bhí seans ann gur fhág sí an tír.

'Beidh mé ag críochnú ar an ríomhaire inniu,' arsa

Saoirse. 'Ba cheart glaoch a chur ar an bhfear sin leis na pasfhocail agus mar sin de.'

'Déanfaidh mé sin,' arsa Deirdre. '*So*, an bhfuair tú aon rud amach?'

'Sea, cúpla rud, 'arsa Saoirse. 'Agus nílim réidh leis fós!'

Ní raibh Saoirse i bhfad ag cuardach nuair a tháinig sí ar theachtaireacht a chaith léargas nua ar chás Laoise.

Breandán Ó Briain a scríobh an teachtaireacht. Sa nóta, dúirt sé le Laoise go mbuailfeadh sé léi sa tigín ar an gCósta Órga ar an Aoine – bliain ó shin a scríobh sé an teachtaireacht, is trí thimpiste nach raibh sé scriosta ag Laoise, de réir dealraimh, mar ba nós léi, a shíl Saoirse anois, na teachtaireachtaí ar fad a scrios más rud é nár bhain siad leis an leabharlann. Bhí comhfhreagras fada ag dul leis an teachtaireacht áirithe seo. I nóta a scríobh Laoise chuig Breandán Ó Briain, thug Laoise le fios go raibh dhá phictiúr aici dó, agus go dtabharfadh sí dó iad a luaithe agus ab fhéidir. I litir ag tús na sraithe, dúirt sí go mbeadh sí féin agus Íde ag dul go dtí an tigín ag an deireadh seachtaine agus go mbeadh na hearraí aici.

Rinne Saoirse na teachtaireachtaí ar fad a phriondáil.

Bhí cruthú anois acu go raibh uisce faoi thalamh éigin

maidir le Laoise, cúrsaí ealaíne, agus Íde, b'fhéidir. Ach níor luadh Marc Ó Muirí sna teachtaireachtaí seo. An amhlaidh nach raibh seisean bainteach leis an ngnó, pé saghas gnó é?

Bhreathnaigh sí an athuair ar na teachtaireachtaí a bhí ag Laoise ó Mharc.

'Chífidh mé ar an Aoine thú, ag a hocht,'

'Tá an stuif agam. Cathain a oireann sé duit bualadh liom?'

'Cuirfidh mé glaoch ort ar an Máirt nuair a bheidh mé saor. Buailfidh me leat sa ghnátháit.'

Siúinéir ab ea Marc. Bhí obair á déanamh aige do Laoise. An raibh aon cheann de na teachtaireachtaí sin nach gcuirfeadh siúinéir chuig custaiméir?

'Buailfidh mé leat sa ghnátháit.'

Ní raibh aon rian den ghaol idir ceardaí agus custaiméir sa teachtaireacht sin, dar le Saoirse, ach gnó rúnda éigin. Bhí an ceart acu. Bhí níos mó ar eolas ag Marc Ó Muirí ná mar a thug sé le fios. Bhí an fhírinne á ceilt aige. Arbh eisean a mharaigh Laoise?

Mhúch Saoirse an ríomhaire agus chuaigh amach sa leabharlann. Bhí Deirdre gnóthach le rang scoile agus ní raibh Seán le feiceáil. Rinne sí comhartha le Deirdre go raibh sí ag imeacht, agus comhartha go nglaofadh sí uirthi. Chuir Deirdre beannú láimhe ina treo.

D'fhág Saoirse an leabharlann. Deich soicind ina dhiaidh, d'fhág duine eile. Fear a bhí ann, fear ard le féasóg – an fear a bhí i mbun taighde ar stair na háite, agus a bhíodh go minic i mbun oibre sa leabharlann. Sheas sé ar an gcosán lasmuigh den leabharlann agus bhreathnaigh ar dheis agus ar chlé. Nuair a leag sé súil ar Shaoirse i measc na ndaoine eile a bhí ag siúl na sráide, chas sé sa treo ina raibh sise ag siúl. Lean sé í.

***

Bhí Máirtín ina oifig sa stáisiún, ag féachaint ar na nótaí a bhí breactha síos aige faoi chás Íde ina leabhar nótaí beag buí. Bhí sé le cuntas a thabhairt do Bhrian ag a haon déag a chlog. Bheadh preasagallamh aige am lóin. Tharraing sé léaráid ar leathanach A3 a chroch sé leis as an meaisín fótachóipeála nuair nach raibh Orna ina háit, ach imithe go dtí an leithreas nó rud éigin. Bhraith sé ciontach i gcónaí nuair a thóg sé páipéar ón meaisín, amhail is dá mbeadh sé á ghoid ó Orna, cé gur leis na gardaí ar fad an meaisín. Agus an páipéar. Ach ós rud é gur Orna a chuir an páipéar isteach ann bhreathnaigh sí air mar a cuid phearsanta féin.

Seo an léaráid:

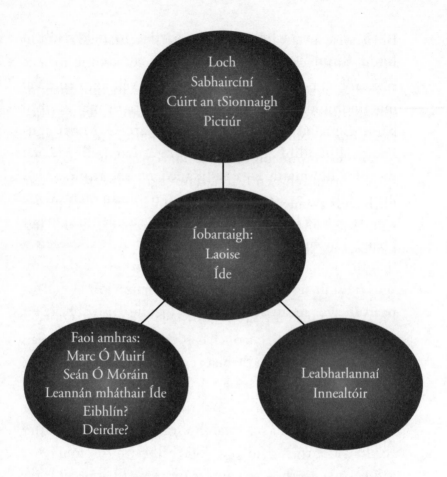

Chaith sé tamall ag féachaint ar an léaráid.

Eibhlín? Deirdre? Is ar éigean a chreid sé gur duine díobh siúd a mharaigh Íde, nó Laoise. Ach d'fhág sé a gcuid ainmneacha ar an liosta.

Bhí Laoise ar iarraidh le breis agus seachtain. Tachtadh Íde ar an gCéadaoin. Níorbh fhios cé a rinne mé, cá rinneadh é, nó conas a rinneadh é. De réir an phaiteolaí maraíodh í idir a deich a chlog agus a trí ar maidin. Bhí baint éigin aisteach dar leis idir Marc Ó Muirí agus Laoise. Bhí ailibí ag Marc don am a maraíodh Íde ach níorbh ailibí maith é – é sa bhaile lena bheirt mhac, iad ina gcodladh, agus ina dhiaidh sin, ó mheán oíche, é ina chodladh lena bhean. D'fhéadfadh sise a bheith ag insint bréag. Fiú mura raibh, an raibh am aige an teach a fhágáil, tiomáint go dtí Cúirt an tSionnaigh sa SUV sin, agus filleadh, agus é sin go léir a dhéanamh idir am luí na ngarsún agus meán oíche, nuair a tháinig Trish abhaile ón scannán?

Bhí.

Cérbh í an bhean a thug cuairt ar Íde Nic Urnaí oíche Dé Céadaoin? Bean ard.

Bhí Laoise ard.

Bhí Marc ard freisin.

An feisteas a bhí ar an gcuairteoir – cóta bán, spéaclaí dorcha – bhí seans ann gur bréagriocht a bhí ansin. Gur Marc a bhí ann, faoi éide ban? Bréagfholt ar a cheann?

Ach de réir dealraimh níor tharla an choir san árasán. Cén fáth go bhfágfadh Íde a hárasán i lár na hoíche le fear nach raibh aithne aici air, agus é gléasta suas mar sin i bhfeisteas mná? In éadaí Laoise Ní Bhroin, a dlúthchara? Nach gcuirfeadh a leithéid de chuairteoir amhras ar an duine ba shoineanta? Agus cé go raibh Íde caoin cineálta ní raibh sí soineanta.

Leannán mháthair Íde. An scéal céanna dá mba eisean a thug cuairt uirthi an oíche úd.

Bhí sé thar am dul i dteagmháil leis an bhfear céanna.

Ghlaoigh sé ar Shiobhán agus d'iarr uirthi a ainm agus a sheoladh a aimsiú dó. Gheall sí go ndéanfadh.

Ansin chuaigh sé chun a thuairisc a thabhairt do Bhrian.

***

Shiúil Saoirse abhaile go dtí Ascaill na Sabhaircíní. Bheartaigh sí glaoch a chur ar Mháirtín ag sroicheadh an bhaile di. Bhí a fhios aici go raibh cruinniú aige le Brian agus go mbeadh sé gafa go dtí meán lae nó mar sin.

Níor stad sí ar a bealach. De ghnáth, bheadh sí ag stopadh anseo is ansiúd chun féachaint isteach i bhfuinneog siopa, nó chun dul isteach i gcorrshiopa, nó thógfadh sí siúlóid bheag sa pháirc. Ach níor mheall aon rud inniu í. Bhí sí ar bís chun an baile a bhaint amach, glaoch a chur ar Mháirtín, agus dul i dteagmháil dá mb'fhéidir é le Breandán Ó Briain.

Shiúil sí síos an phríomhshráid, thrasnaigh an *plaza*, shiúil cois na páirce go dtí an timpeallán, Timpeallán a 10. Ar thaobh amháin den timpeallán bhí bóthar ag síneadh amach go dtí Baile an Óir, áit a raibh a hárasán ag Íde, agus ar an taobh eile bhí an bóthar ag dul go dtí eastát na Sabhaircíní. Bhí an ceathrú bóthar ag dul i dtreo an M10, an tuath, agus gach áit eile. (Bhí Baile na mBocht ar an taobh eile den bhaile, ach d'fhéadfá é a bhaint amach ón áit seo trí dhul amach ar an M10 agus ar ais go dtí Timpeallán a 13.)

Thóg sé fiche nóiméad uirthi an t-aistear a dhéanamh.

Lean an fear í gach céim den tslí.

Nuair a chuaigh Saoirse isteach ina hárasán ar Ascaill na Sabhaircíní, d'fhan sé cúig nóiméad ag féachaint ar an bhfoirgneamh.

Ní raibh sé tugtha faoi deara ag Saoirse ag am ar bith.

Isteach léi san árasán, agus tharraing an doras ina diaidh, ar ndóigh. Chuir sí an citeal ar siúl agus fad a bhí sí ag feitheamh ar an uisce beiriú chuir sí glaoch ar Mháirtín. D'inis dó a raibh foghlamtha aici faoi Mharc agus faoi Bhreandán Ó Briain agus Laoise. Ghlac sé na sonraí go léir uaithi agus bhreac síos ina leabhar nótaí buí iad.

'Ar mhaith leat go rachainn i dteagmháil leis?' ar sise.

'Ná déan,' a dúirt sé. Déanfaimidne an méid sin. Gheobhaimid uimhir fóin dó agus seoladh. Ní ceart go mbeadh deacracht ar bith ag baint leis sin.

Agus cad faoi Mharc?

Ceist eile. Bheadh air dul amach chun cainte leis arís. Ach d'fhanfadh sé go dtí go mbeadh agallamh déanta aige le Breandán Ó Briain. Seans go raibh ceangal idir é agus Marc.

Dúirt Saoirse go rachadh sí go dtí an stiúideo. Bhí rang le tabhairt anocht aici, agus ní bheadh sí sa bhaile go dtí a leathuair tar éis a naoi.

D'fhág siad slán lena chéile.

12

Tháinig siad ar Bhreandán Ó Briain gan deacracht ar bith. Duine d'áitreabhaigh shaibhre Dhún an Airgid ab ea é, cónaí air i dteach breá i mBaile an Óir. Tógálaí de shaghas éigin ab ea é agus a mhaoin déanta aige. Pinsinéir ab ea é anois.

Máirtín agus Saoirse a chuaigh chun cainte leis.

Scaoil searbhónta isteach iad, i halla fairsing. Bhí dealbh nua-aimseartha ag seasamh ar an urlár marmair, agus pictiúir ón naoú haois déag ar na ballaí. D'aithin Saoirse cuid de na healaíontóirí.

'Daniel Mclise,' a dúirt sí, ag féachaint ar phictiúr a thaispeáin cistin i dteach feirme. Bhí an chistin cosúil le ceann ba chuimhin le Máirtín ó laethanta a óige, i dteach beag a bhí ag baitsiléir a rugadh ar an mBlascaod agus a bhog isteach go dtí an Daingean sna 1950idí. Cistin thraidisiúnta. B'fhada ó cailleadh an fear sin agus a chistin.

'Agus Andrew Nicholl,' a dúirt sí, ionadh uirthi. 'Ní fhaca mé pictiúir mar seo cheana ach in áiléir mhóra.'

Bhí an chuid eile den teach ar aon dul leis an halla. Mór,

sómasach, compordach. Lán de leabhair agus d'ealaín. Bhí téamaí sna seomraí ann. Halla:19ú haois. Seomra suí:20ú haois. Agus sa seomra bia bhí pictiúir a rinneadh le déanaí, san 21ú haois.

'An cleas ná na healaíontóirí óga is cumasaí a aithint sula ndéanann duine éigin eile é,' arsa Breandán.

Firín beag ab ea é, lán d'fhuinneamh, agus gealgháireach.

'Agus is féidir leatsa sin a dhéanamh?' arsa Saoirse. Bhí pictiúr dá cuid féin aige. Sa seomra folctha.

'Mm,' arsa Breandán. 'Ní maith liom a bheith ag maíomh. Agus téann tú sa seans ar ndóigh.'

Bhí an-suim ag Saoirse sa chaint seo ar fad. Cheistigh sí é faoi cad ba bhrí leis sin.

'Is féidir a aithint go bhfuil ealaíontóir cumasach, samhlaíocht aige, scileanna, rud éigin neamhghnách á dhéanamh. Ach tá rudaí eile i gceist freisin maidir leis an margadh. Caithfidh comhaontú a bheith ann i measc an phobail, na criticeoirí agus lucht ceannaithe, gur ealaíontóir tábhachtach atá inti nó ann.'

'Hm. Conas a tharlaíonn comhaontú mar sin?' arsa Saoirse.

'Mistéir. Meascán rudaí. Poiblíocht. Tráthúlacht. Giúmar an phobail.'

Smaoinigh sé.

'Ádh! Rudaí nach féidir iad a thomhas.'

Smaoinigh sé arís agus thaispeáin pictiúr mór dóibh. Crainn a bhí léirithe ann, draighneáin agus iad ag fás ar chnocán.

'Mar shampla, an ceann seo. Cheannaigh Laoise Ní Bhroin dom é. Bhí srón iontach aici siúd chun an t-ealaíontóir óg gan aitheantas a phiocadh amach. Go han-mhinic, bhí an ceart aici. Sampla maith is ea an ceann seo. Áine Ní Riain a rinne é. Ailtire atá ina healaíontóir anois. Cheannaigh Laoise an ceann seo ar cheithre céad euro trí bliana ó shin. Is fiú ceithre mhíle dhéag anois é, ar a laghad.'

Bhí a fhios ag Saoirse go dtarlódh a leithéid. Bhí a cuid pictiúr féin tar éis méadú go mór i luach. Ach bhí sí fós i bhfad ón stádas sin. Cad a bhain le healaín Áine?

'Tá stíl dá cuid féin aici,' arsa Breandán. 'Réalaíoch, ach gan dul thar fóir leis sin. Agus toghann sí ábhar suimiúil. Rudaí atá ar tí imeacht den saol. Seanfhoirgnimh a leagfar sula i bhfad.'

'Bhfuil an ceann seo bunaithe ar áit ar bith?' arsa Saoirse, ag féachaint ar an gcoill.

'Tá,' arsa Breandán. 'Ráth is ea é. Níl sé ann a thuilleadh.

Leagadh é chun go dtógfaí an M10. Bhíodh sé amuigh ansin, cóngarach don áit ina bhfuil an t-eastát sin... cad is ainm dó?'

'Baile na mBocht,' arsa Máirtín.

An ráth sin arís.

Mhínigh Breandán gur cheannaigh Laoise ealaín dó ó ealaíontóirí óga. Níor úsáid sí na háiléir, mar ba ghnách leosan coimisiún caoga faoin gcéad sa bhreis a éileamh.

Ní raibh aon rud á dhéanamh aici a bhí i gcoinne an dlí.

'Ach,' – arsa Saoirse le Máirtín, 'de ghnáth bíonn conradh ag ealaíontóir le háiléar. Agus an socrú ná go ndíolfaidh an t-áiléar na pictiúir ar fad. Ní ceart go mbeadh an t-ealaíontóir á ndíol í féin, ag an am céanna.'

'*So*, níl sé i gcoinne an dlí. Ach tá an rud a bhí á dhéanamh aici i gcoinne na gcoinbhinsiún.'

'Tá.'

'D'fhéadfadh sé gur chuir sí isteach ar dhaoine? Úinéirí áiléar?'

'Táim cinnte go ndéanfadh, dá mbeadh a fhios acu cad a bhí ar siúl.

Ach ar an lámh eile de, beag seans go maróidís í dá bharr.'

***

Chuaigh Siobhán Uí Laighin ar thóir an pháirtnéara a bhíodh ag máthair Íde Nic Urnaí. Tar éis seachtaine, fuair sí amach cérbh é féin. Bhí cónaí air i ndeisceart na Spáinne le bliain anuas. Seoladh aige i Marbella. Níor leag sé cos i dtír na hÉireann le bliain, dar leis, agus bhí ailibí maith aige don oíche a maraíodh Íde. Bhí sé amuigh ag comóradh a sheascadú breithlá le slua cairde agus gaolta in óstán in Guadalmar.

***

Chuaigh Máirtín chun cainte le Marc Ó Muirí arís.

Bhí Marc lasmuigh dá theach nuair a tháinig sé, ar tí dul amach ag obair.

'Tusa arís,' arsa Marc.

'Mise arís,' arsa Máirtín.

Bhí sé soiléir nach raibh áthas ar Mharc é a fheiceáil. Bhreathnaigh sé go ciotrúnta air.

'Ní choimeádfaidh mé i bhfad thú,' arsa Máirtín. 'Tá ceist nó dhó eile agam ort.'

D'fhan Marc ina thost. Bhí an lá fuar. Bhí caipín beag ar a cheann agus anarac mór.

Thaispeáin Máirtín cóip den ríomhphost a chuir sé chuig Laoise Ní Bhroin dó. 'Chífidh mé ag an ngnátháit thú.'

Bhreathnaigh sé go géar ar Mharc agus é á léamh. Bhí cuma an-mhíchompordach air. Nuair a labhair sé bhí a ghuth tanaí agus neirbhíseach.

'Sea?'

'Cad a bhí i gceist agat? An ghnátháit?'

Lig Marc osna. Thóg sé tamaillín air freagra a thabhairt.

'Mar a dúirt mé leat an uair dheireanach, bhí mé ag obair ar a son. Bhí mé chun cófra a chur isteach ina teach... seilfeanna.'

'*So*... an ghnátháit? An teach?'

'Sea. Ar ndóigh.'

'Chuir tú an ríomhphost seo chuici ar an Aoine sin, an Aoine a d'imigh sí gan tuairisc.'

'Tá a fhios agam. Tá sé seo go léir pléite againn cheana. Chuir mé ríomhphost chuici. Chuaigh mé amach go dtí an teach – an ghnátháit. Ní raibh sí ann. Deireadh an scéil.'

Bhreathnaigh Máirín go géar air. Níor chreid sé é. Ach ní raibh a thuilleadh le rá aige leis díreach anois.

***

Chuaigh seachtain eile thart.

Bhí gach duine ag dul i dtaithí ar an scéal. Níorbh nuacht

a thuilleadh é. Níor luadh sna meáin é. Ós rud é nach raibh gaolta ag Íde ná ag Laoise ní raibh éinne ag cur brú ar na gardaí an cás a réiteach. Is fíor gur chuir Seán Ó Móráin glaoch ar Mháirtín uair nó dhó sa tseachtain, ag tabhairt amach nach raibh dóthain á dhéanamh aige chun Laoise a aimsiú. Ach níor bhrú é sin a chuir isteach ar Mháirtín mórán. Maidir leis an leabharlann, bhí leabharlannaí nua faighte acu, go sealadach mar dhea, go dtí go dtiocfadh Laoise ar ais. Ceapadh Deirdre mar phríomhleabharlannaí go sealadach. Bhí sí sásta leis an ardú céime. Níor chuir sise glaoch ar bith ar Mháirtín. Thug Saoirse faoi deara, ar a cuairteanna chuig an leabharlann, go raibh Deirdre tar éis aistriú isteach in oifig Laoise anois. Bhí an leabharlannaí nua in airde staighre leis na páistí.

Aisteach mar a théann an saol i dtaithí ar rudaí, bhí Saoirse ag ceapadh. Bhí sí ag siúl abhaile tar éis obair an lae. Bhí sé dorcha anois ag a seacht a chlog agus bhí fuacht na hoíche le brath. Mar sin féin shiúil sí. Bhí sí ag smaoineamh ar an rang a thabharfadh sí an lá dar gcionn. Cé nár mhúin sí ach trí huaire sa tseachtain bhí na ranganna i gcónaí ag teacht ina treo agus chaith sí a lán ama ag smaoineamh orthu agus ag ullmhú.

Bhí sí ag machnamh go domhain, agus an t-ionad á fhágáil aici.

Níor thug sí faoi deara an fear a bhí lasmuigh ar an tsráid, an fear ard, a lean abhaile í, mar a rinne i gcónaí.

Maidir le Máirtín, bhí sé sa bhaile cheana féin. Dinnéar á réiteach aige. Sicín *tikka masala* agus rís. An rud ab ansa leis. Ní ar Laoise nó ar Íde a bhí sé ag smaoineamh. Bhí dhá rud ar a aigne. Saoire gheimhridh. Le teacht an fhómhair agus na hoícheanta ag cúngú isteach air bhí fonn air dul ar thóir na gréine. Oileáin Canaria, nó an Éigipt. Ba mhaith leis úsáid a bhaint as a chulaith rubair agus bhí a fhios aige gur áit mhaith é an Mhuir Rua chun a bheith ag tumadh. An mbeadh a chulaith oiriúnach don uisce sin? An mbeadh ort culaith a bheith ort in aon chor nó an raibh an Mhuir Rua bog go leor chun dul ag snámh ann gan rubar ar bith ort?

D'fhéadfadh sé an cheist a chur ar Shaoirse agus iad san Éigipt. Bheadh sé sin an-rómánsach. Ar bharr ceann de na pirimidí? Nó faoin uisce sa Mhuir Rua? Cé nach raibh cuma rómánsach air agus a chulaith rubair á caitheamh aige.

Bheartaigh sé féachaint ar an idirlíon tar éis an dinnéir, chun réiteach na ceiste seo a fháil. Nuair a bheadh cinneadh déanta aige, dhéanfadh sé an tsaoire a phlé le Saoirse. Nó b'fhéidir go gcuirfeadh sé in áirithe é, mar ábhar iontais di? Mar bhí *surprise* eile i ndán di. Bhí a aigne déanta suas aige. Agus iad ar saoire, thar lear in áit éigin aoibhinn, chuirfeadh sé an cheist úd. An bpósfaidh tú mé?

Ar mhaith leat mé a phósadh? Cad é do bharúil faoi phósadh? Nó, faoi mise a phósadh, cad é do bharúil faoi mise a phósadh?

Thiocfadh an fhoirmle cheart chuige, thar lear. Bhí sé cinnte de.

B'fhéidir go raibh treoir éigin ar an idirlíon faoi sin freisin? Conas an cheist a chur. Ní bheadh sé i nGaeilge ar ndóigh. *How to Propose without Making an Eeejit of Yourself. How to make a successful Proposal.* Bheadh air an abairt a aistriú go Gaeilge é féin, leas a bhaint as pé foirmle a mhol siad do dhaoine. Agus ansin an mbeadh sé ar ais san áit ina raibh sé anois? Cearnóg a haon.

Nó...

Thosaigh an rís ag dó. Rith sé go dtí an sorn agus tharraing an pota ón bpláta. Bhí sé ag scagadh na ríse sa stráinín deas dearg a bhí ceannaithe ag Saoirse nuair a phreab an teileafón.

Brian Ó Murchú a bhí ar an líne.

'Tar síos láithreach,' arsa sé. 'Táthar tar éis corp mná a aimsiú.'

'*Oh no,*' arsa Máirtín. 'Cé hí?'

'Níl a fhios agam cé leis an corp,' arsa Brian. 'Thug iascaire faoi deara é leathuair an chloig ó shin. Tá na gardaí sa bheairic ansin tar éis glaoch orm anois. Tá an garda tarrthála ar a bhealach ann.'

'Ach tá a fhios agat gur bean atá ann?'

'Sin a dúirt siad. Níl a thuilleadh eolais agam.'

Mhúch Máirtín an sorn. Tharraing sé air a éide garda, agus a chóta buí. Agus é ag rith amach an doras ghlaoigh sé ar Shaoirse. Nuair nár fhreagair sí, scríobh sé teachtaireacht téacs chuici, ag míniú go raibh air dul amach agus ag iarraidh uirthi glaoch a chur air. Ansin thóg sé a charr agus thiomáin síos go dtí an bheairic.

***

Bhí an t-iascaire a d'aimsigh an corpán ar an gcé, ag Cuan an Chósta Órga.

Bhí sé amuigh ina bhád an tráthnóna ar fad, ag bádóireacht agus ag caitheamh amach líne ag iarraidh breith ar phollóg, a bhí go flúirseach thart anseo. Chuir sé ionadh ar Mháirtín go mbeadh éinne ag dul amach ag iascach mar chaitheamh aimsire lá fuar fómhair, ach de réir an té seo, a bhí in aois a dhaichead nó mar sin, bhí an aimsir an-oiriúnach chuige. Bhí lá saoire aige óna phost, a bhain le ríomhairí, agus ghlac sé an deis dul amach ar an bhfarraige. Fear fionn ab ea é, féasóg air. Craiceann donn. An chuma air gur chaith sé an-chuid ama amuigh faoin aer.

Agus é ag teacht i dtír tar éis dó an tráthnóna a chaitheamh amuigh ar an bhfarraige is ea a tháinig sé ar an mbean bháite. Bhí sí istigh sa chuan, cóngarach don ché. An chéad rud a chonaic sé ná péire spéaclaí, a bhí greamaithe sa slabhra a bhí ag feistiú an ancaire de bhád eile. Ar ndóigh thagadh sé ar rudaí mar sin minic go leor. Spéaclaí, bróga, balcaisí. De ghnáth níor chiallaigh sin ach go raibh duine éigin tar éis iad a fhágáil ina dhiaidh trí dhearmad. Ach ar chúis éigin bhí mothúchán neamhghnách aige maidir leis na spéaclaí seo.

'Tarlaíonn sé sin dom uaireanta. Táim beagáinín léirsteanach.'

Ní raibh aon rud le rá ag Máirtín faoi seo.

'Bhí a fhios agam go raibh rud éigin as an tslí. Ní raibh mé in ann mórán a fheiceáil sa dorchadas agus tá an t-uisce tiubh and dubh istigh anseo sa chuan. Ach thosaigh mé ag útamáil timpeall. '

'Sea?'

'Bhí sí greamaithe ansin. Idir dhá bhád. A cos ceangailte i slabhra. Sin an fáth nach ndeachaigh sí go tóin poill.'

'Ní raibh an chuma uirthi go raibh sí ansin le fada?

'Ó, ní raibh.'

Chuir sé gramhas air féin agus chroith sé a cheann go tapa.

'Bhí an chuma uirthi nach raibh sí ann ach leathuair an chloig.'

***

Chuir Máirtín glaoch ar Shaoirse arís, agus é ag dul i dtreo an phubaill a bhí curtha suas ag na gardaí chun an corpán a choimeád ann don phaiteolaí, a bhí anois ar a bealach ó Bhaile Átha Cliath go dtí an Cósta Órga. Ach níor fhreagair sí a fón póca, nó an fón tí. Cad a bhí á dhéanamh aici? Rinne sé glór mífhoighneach agus chuaigh i dtreo an phubaill.

Bhuail garda leis lasmuigh.

'An bhféadfainn sracfhéachaint a thabhairt uirthi?'

'Is fearr fanacht go dtí go dtagann an paiteolaí. Beidh sí anseo i gceann uair an chloig nó mar sin.

D'inis an garda dó gur corpán duine éigin a bádh le déanaí a bhí ann, áfach. Dá mba í Laoise Ní Bhroin a bhí ann, maraíodh inniu í.

'Leathuair an chloig ó shin?'

'Ní bheinn chomh beacht leis sin! Ach inniu, déarfainn. Tráthnóna déarfainn. Ní raibh seans ag aon rud damáiste a dhéanamh di. Agus is féidir leis na maicréil a bheith tapa go leor.'

'Cén saghas duine í?'

'Beag.'

'Ní Laoise í, más ea.'

'Gruaig saghas donn. Deacair a rá nuair a bhíonn sé fliuch. Dathúil, an cailín bocht. Agus ealaíontóir nó rud éigin is ea í. Bhí mála aici, mála droma, le scuaba agus rudaí den saghas sin ann. Bhí sé sin fós in aice lena corp. Ait.'

Chuaigh Máirtín agus Brian Ó Murchú go dtí teach tábhairne, chun cupán caife a ól, fad is a bheidís ag feitheamh leis an bpaiteolaí.

Dá mba rud é gur coir a bhí i gceist, is faoi chúram na ngardaí sa Chósta Órga a bheadh sé. Mar sin féin bheadh orthu siúd preasagallamh eile a ullmhú go tapa. Do nuacht na maidine. Bhí sé ag druidim lena naoi a chlog cheana féin. Ní bheadh ach fógra gairid ar an nuacht anocht ach bheadh an scéal mór ann an chéad rud ar maidin.

'Más dúnmharú eile é, caithfimid glacadh leis go bhfuil dúnmharfóir srathach ar ráig an áir.'

'Sílim gur dúnmharú é.'

'Cén fáth?'

'Táim léirsteanach. Uaireanta.'

Rinne Máirtín gaire.

'Ní cúis mhagaidh é! Ach ní hea. Táimse ag magadh. Nílimse léirsteanach. Ní chreidim sa stuif sin in aon chor. Ach ní dóigh liom – tá a fhios agam – go ndéanfadh éinne féin-bhá idir dhá bhád i gcuan beag ar nós an ceann seo. Dá mbeadh ciall ar bith acu.'

'An mbíonn ciall ar bith ag daoine mar sin?' arsa Brian.

***

Cé go raibh a fhios ag Máirtín nárbh í Laoise a bhí ina luí marbh istigh sa phuball, bhí sé fós ag súil gurbh ise a bheadh ann agus é ag siúl isteach ann. Ar a laghad bheadh deireadh éigin leis an gcuid sin den scéal.

Ach níorbh í Laoise a bhí ann.

13

Níorbh í Laoise a bhí ina luí ar chlár istigh sa phuball, soilse láidre ar lasadh timpeall uirthi, agus an paiteolaí stáit ina seasamh taobh léi, ag cur a cuid uirlisí ar ais ina mála.

Bean óg eile a bhí ann.

'My, oh my!' arsa Máirtín. Gan choinne, tháinig deora lena shúile. Go tobann bhí sé ag gol.

Chuir an paiteolaí lámh air.

'Anois anois,' arsa sise. 'Beidh tú ceart go leor.'

Rinne sé iarracht teacht chuige féin. Ach níor éirigh leis. Lean sé air ag caoineadh.

D'fhan an paiteolaí ina seasamh taobh leis, go foighneach.

Ansin 'Bhfuil aithne agat uirthi?' arsa sise, os íseal i nguth cneasta.

'Níl,' arsa Máirtín. 'Ó níl, in aon chor.' Agus chroith sé é féin mar a dhéanfadh gadhar a bhí tar éis snámh san fharraige. Ansin, chomh tobann agus a thosaigh na deora thriomaigh siad arís. 'Níl aon aithne agam uirthi.

Gabhaim leithscéal. Ise an dara bean óg atá feicthe agam sa riocht seo le mí anuas. Sin an méid. Níl a fhios agam cad a tharla dom.'

Dúirt an paiteolaí gur thuig sí go maith cad a bhí ag cur as dó. Ní raibh aon rud furasta faoin gceird a bhí acu beirt. Ní dheachaigh duine i dtaithí i gceart air riamh.

'*So...* OK. Cad a tharla di?' arsa Máirtín, a leabhar nótaí buí á tharraingt amach aige. Níor bhreathnaigh sé ar an gcorpán ach dhírigh a aire ar an leathanach folamh.

'Tachtadh í, le piliúr nó rud éigin den saghas sin, maidin inniu. Idir a hocht agus a haon déag a chlog, a déarfainn. Deacair a rá cé chomh fada agus atá sí san uisce. Ó am lóin, b'fhéidir. Caithfidh gur chuir an dúnmharfóir ann í faoi sholas an lae pé scéal é. Aisteach nár thug éinne faoi deara é. Ach ní bhíonn mórán daoine thart ag an am seo den bhliain, i rith na seachtaine.

'Is féidir tiomáint síos ar an gcé freisin, rud a chabhródh leis, arsa Brian, a bhí ina sheasamh go ciúin sa phuball.'

'Ní fheadar cé hí?' arsa Máirtín.

'Tá a fhios againn cé hí,' arsa an paiteolaí. 'Bhí mála aici a bhí tirim go leor. Gach rud istigh ann. A cuid cártaí bainc, dialanna, fón. Ní raibh an dúnmharfóir ag iarraidh aon rud a cheilt, de réir dealraimh.'

'*So* cé hí féin?'

'Áine Uí Riain is ainm di. Bean phósta de réir dealraimh. As Dún an Airgid. 59 Plásóg na Sabhaircíní.'

Is ar éigean a chreid Máirtín a raibh á chloisteáil aige.

'Na Sabhaircíní arís. Is as an eastát sin do Laoise Ní Bhroin, an bhean a d'imigh gan tuairisc. Agus is as an eastát sin domsa freisin.'

'Bhuel. Comhtharlú, b'fhéidir,' arsa an paiteolaí.

'Aon rud eile?'

'Ní dhearnadh aon ionsaí gnéasach uirthi.'

Bhí patrún ann. Ní dhearnadh aon ionsaí gnéasach ar Íde ach oiread.

'Féach air seo,' arsa an paiteolaí.

D'fhéach Máirtín ar an gcorpán. Ní fhaca sé aon rud speisialta. Bhí an chuma ar an mbean go raibh sí ina codladh, cé go raibh a haghaidh gortaithe de bharr a tachta. Bhí seaicéad uaine uirthi, seaicéad veilbhite. Sciorta dubh. Gruaig dhonn, mar a d'inis an t-iascaire dó.

'Ní fheicim aon rud as an ngnáth. Ach go bhfuil sí marbh.'

'Féach ar an mbróiste sin atá ar a seaicéad.'

D'fhéach sé arís. Chonaic sé bróiste beag airgid, le script

Oghaim air. *So?* Chaith a lán ban na rudaí sin. Bhí siad ar fáil go forleathan.

'Bhí ceann de na rudaí sin á chaitheamh ag Íde Nic Urnaí nuair a maraíodh í,' arsa an paiteolaí. 'B'fhéidir gur comhtharlú é sin freisin. Ach más buan mo chuimhne bhí an déantús ceannann céanna air.'

'Agus na litreacha?'

'Ní féidir liom Ogham a léamh,' arsa an paiteolaí. 'An féidir leatsa?'

Bhreathnaigh sé go géar uirthi. An ag magadh a bhí sí, agus bean mharbh ina luí eatarthu?

'Ní féidir,' arsa Máirtín, 'ach gheobhaimid an ceann eile agus déanfaimid comparáid. An féidir liom an ceann seo a thabhairt liom?'

'Nílimse chun tada a rá má dhéanann tú,' arsa an paiteolaí. 'Dein do chomhairle féin.'

***

Bhí sé de chúram ar Bhrian agus ar Mháirtín glaoch ar fhear céile Áine Uí Riain le cur in iúl dó go raibh sí marbh.

'Tá sé an-mhall is dócha,' arsa Máirtín, ag breathnú ar an gclog sa ghluaisteán. A haon déag anois.

'Is cuma,' arsa Brian. 'Bíonn sé mall san oíche agus an gnó seo á dhéanamh, níos minice ná a mhalairt. Agus beidh sé ina shuí. Beidh imní air. Seans go bhfuil sé tar éis glaoch ar an stáisiún cheana féin.'

Chuir sé ionadh ar Mháirtín go raibh Brian chomh tuisceanach sin, agus chomh cróga. Bhreathnaigh sé air mar shaghas amadáin bhoicht. Ach féach go raibh an leochaileacht seo ag baint leis.

'D'fhéadfaimis an sagart a fháil chun teacht in éineacht linn, má tá aithne aige orthu,' arsa Brian. 'Cuirfidh mé glaoch air.'

Ghlaoigh sé, ach ní bhfuair freagra.

'Táimid linn féin,' arsa sé.

Bhí sé tar éis meán oíche nuair a stop siad lasmuigh de 59, Plásóg na Sabhaircíní. Teach mór go leor a bhí sa cheann seo. Bhí na tithe ar an bplásóg oiriúnach do theaghlaigh. Rith sé le Brian go raibh seans go raibh páistí ag Áine, mar bharr ar an mí-ádh.

Ghlaoigh sé ar Shaoirse sular fhág sé an carr, chun tabhairt le fios di go mbeadh sé an-déanach. Ach níor fhreagair sí an uair seo ach an oiread.

Den chéad uair, rith sé leis go raibh seans ann go raibh sise i mbaol.

Bean óg a bhí ar iarraidh.

I gcás Áine Uí Riain, ní raibh sí ar iarraidh ach ó mhaidin inniu.

Bhí an ceart ag Brian. Cé go raibh sé an-mhall san oíche, bhí fear céile Áine fós ina shuí. Tháinig sé ag rith go dtí an doras.

Nuair a d'oscail, agus a chonaic an bheirt gharda ar an tairseach, thit a aghaidh.

'Áine,' a dúirt sé.

An leathuair an chloig a chaith sé i 59, Plásóg na Sabhaircíní an oíche sin, ní raibh Máirtín ag iarraidh a mhacasamhail a chaitheamh go deo arís ina shaol.

Ní fhéadfadh Ruán – b'in a ainm – an drochscéal a thógáil isteach.

Ní dhearna sé ach screadach.

Tháinig na páistí – bhí beirt acu, cailín agus buachaill – síos staighre. Bhí siad in aois a trí agus a cúig. Eagla an domhain orthu. Seans nach bhfaca siad a n-athair riamh ag caoineadh agus anois bhí sé as a mheabhair. Thosaigh siadsan ag béicíl. Raic uafásach a bhí ann. Chuir Máirtín glaoch ar dhochtúir. Ar ndóigh ní raibh aon dochtúir ar fáil. Chuir sé glaoch ar an ospidéal. Thairg siad otharcharr dó. Ach ní raibh otharcharr uaidh. Cad a tharlódh do na páistí? An amhlaidh go mbeidís in ann dul san otharcharr freisin?

Thuig sé go ndearna siad botún, teacht ag an am seo den oíche. Bheadh gach rud i bhfad níos fusa ar maidin.

I ndeireadh na dála, dúirt dochtúir san ospidéal go dtiocfadh sé i gcabhair orthu. Rinne sé rud mór de. In ainm Chroim, arsa Máirtín leis féin, ag iarraidh guaim a choimeád air féin. Sinne an Garda Síochána. Tá bean an fhir seo tar éis a dúnmharaithe, cúpla uair an chloig ó shin. Shílfeá go mbeadh dochtúir leighis ar fáil in áit éigin, chun teacht i gcabhair ar a gaolta bochta.

Chuir sé glaoch ar Shaoirse.

An uair seo, d'fhreagair sí.

Bhí áthas an domhain air a guth a chloisteáil.

'Cá raibh tú? Shíl mé go raibh rud éigin tar éis tarlú duit!' ar sé.

'Faic na nGrást,' arsa Saoirse. 'Fuair mé do théacs agus chuaigh mé chuig scannán. Bhuail mé le cara ann, agus chuamar ag ithe *pizza*. Tháinig mé abhaile... uair an chloig ó shin. Cá bhfuil tusa?'

Mhínigh sé an scéal ar fad di.

Ní raibh a fhios aige cathain a d'éireodh leis dul abhaile.

An mhaidin dar gcionn, mar a tharla.

Tháinig an dochtúir. Thug sé instealladh do Ruán a chur ina chodladh láithreach é. Ansin d'imigh sé leis.

Bhreathnaigh Brian agus Máirtín ar na páistí. Bhí an duine ab óige, an buachaill, ag súgradh le trucail a bhí aige. Bhí an cailín ina suí ag breathnú ar leabhar.

'Ní féidir linn iad a fhágáil gan éinne le haire a thabhairt dóibh,' arsa Brian. Bhreathnaigh sé ar na páistí, trua ina shúile. Ansin d'fhéach sé idir an dá shúil ar Mháirtín, féintrua ina shúile.

'Beidh mo bhean bhocht ag dul as a meabhair. Caithfidh mé dul abhaile'. Bhreathnaigh sé ar na páistí arís. Bhí an duine ab óige, an buachaill, ag iarraidh a thrucail a thiomáint i gcoinne an bhalla. Bhí an cailín ag lorg rud éigin i gcófra. 'An miste leat?'

D'fhan Máirtín leo. Chaith sé an oíche ag imirt leis an duine ab óige, an buachaill. Ar dtús bhí siad ag súgradh leis an trucail. Ina dhiaidh sin, le heitleáin a bhí aige. Ina dhiaidh sin, le cluiche ríomhaire. Ina dhiaidh sin, bhí ocras air agus d'ullmhaigh Máirtín greim le hithe dó. Ina dhiaidh sin, bhí fonn air imirt leis an trucail arís.

Chuaigh an duine ba shine, an cailín, ar ais a chodladh ag a dó a chlog. Bhí sé tar éis a cúig nuair a thit an buachaill ina chodladh, ar an tolg. Fuair Máirtín *duvet* ó sheomra leapa agus chuir air é. Ansin chuaigh sé féin in airde staighre, d'aimsigh seomra folamh le leaba ann, agus shleamhnaigh isteach ann. Thit sé ina chodladh láithreach, den chéad uair le dhá uair an chloig is fiche.

***

Mhúscail sé ag a leathuair tar éis a hocht. Chaith sé tamaillín ag teacht chuige féin. Bhí sé timpeallaithe ag coiníní, eilifintí, sioráif, puisíní, agus ainmhithe eile, iad go léir ildaite agus gealgháireach. Ag stánadh air. Cén saghas áite é seo? An raibh sé imithe glan as a mheabhair?

Ansin tháinig imeachtaí na hoíche ar ais chuige.

Bhí an-fhonn air casadh i dtreo an bhalla agus dul ar ais a chodladh ach tharraing sé é féin as an leaba. Bhraith sé go hainnis. Bhí a éide fós air, gach rud ach an seaicéad gorm agus an seaicéad buí. Bhí a chuid éadaí teann agus tais. Bhí sé bréan, bhí sé cinnte de sin. Ba cheart dó cith a thógáil ach ní raibh fonn air sin a dhéanamh i dteach strainséartha.

Bhreathnaigh sé isteach sa phríomhsheomra codlata. Bhí Ruán Ó Riain sa leaba mhór, fós ina chodladh go sámh, gan aithne gan urlabhra. Seomra mór deas. Ballaí bándearga, páipéar balla, rósanna air, ar bhalla amháin, de réir an fhaisin nua. Bláthanna ar bhord beag san fhuinneog. Buidéil chumhráin agus smideadh ar an gclár maisiúcháin. Sciorta corcra caite ar chathaoir.

181

Bhí an chuma ar Ruán go raibh sé sona. Ag taibhreamh.
Nuair a dhúiseodh sé is ea a thosódh an tromluí.

Aisteach an mac an saol! Maidin inné bhí lánúin ina luí sa
leaba mhór bhándearg sin. Teaghlach óg, bríomhar,
gealgháireach, sa teach seo – bhí a fhios aige, ón aithne a
chuir sé ar an duine ab óige, an buachaill, go raibh siad
gealgháireach, agus thar a bheith bríomhar. Agus anois,
an lá dar gcionn, gach rud athraithe.

D'fhág sé Ruán ina chodladh. An créatúr. Fan mar atá tú.
Go dtí go mbíonn ort dúiseacht agus déileáil leis an rud
atá romhat.

Bhí an gasúr fós ina chodladh ar an tolg. Ach chuala sé an
cailín ag bogadh thart thuas staighre.

Ghlaoigh sé ar an mbeairic ar dtús. Chuirfeadh Orna fios
ar na seirbhísí sóisialta láithreach, agus ar an dochtúir,
agus ar an sagart. An raibh gaolta ag an gclann? Conas a
bheadh a fhios ag Máirtín? Dúirt sé go bhfanfadh sé sa
teach go dtí gur tháinig duine éigin eile chun aire a
thabhairt do na páistí. Ní raibh aon rogha aige.

Ghlaoigh sé abhaile ar Shaoirse.

Bhí sí leath ina codladh.

'OK,' a dúirt sí. 'Rachaidh mé timpeall chugat chomh
luath agus a bhím ullamh anseo.' Rinne sí méanfach.

'Go raibh maith agat, a stór!' arsa Máirtín. Bhuail taom mór grá é. Agus imní. 'Tabhair aire duit féin.'

'A Mháirtín!' arsa Saoirse. 'Tugaim aire dom féin i gcónaí. Ná bí mar sin.'

'Mar cad é?'

'Mar sin. Buartha. Neirbhíseach. Níl éinne chun mise a dhúnmharú. Cén fáth go ndéanfadh?'

'Tá an ceart agat,' arsa Máirtín. 'Tá an rud seo ag cur isteach orm. Sin an méid.'

Leis sin, chuala sé Ruán ag múscailt sa seomra thuas staighre.

Faoin am a shroich Saoirse an teach, bhí an sagart agus oibrí sóisialta ann. Agus bhí Ruán tagtha chuige féin. Rinne an codladh maitheas dó. Bhí sé ciúin agus croíbhriste ach stuama.

'Beidh mé ceart go leor,' a dúirt sé. 'Cuirfidh mé glaoch ar mo mháthair.'

Fuair Máirtín uimhreacha fóin dá mháthair agus do ghaolta eile uaidh, agus d'fhág slán aige.

Leathuair tar éis a naoi.

Bhuail sé le Saoirse agus é ag teacht amach an geata. Is de shiúl na gcos a tháinig sí. Ní raibh a n-árasán ach ceathrú míle ón teach seo.

Chuir sí iallach ar Mháirtín teacht abhaile agus sos a thógáil sula bhfillfeadh sé ar an mbeairic.

Cé go raibh sé ar bís chun na hoibre, ghéill sé don smaoineamh. Thiomáin Saoirse abhaile iad.

Thóg sé cith, agus d'ól muga caife láidir, fallaing seomra mhór dhearg air. D'ith dhá rolla aráin a thóg Saoirse as an oigheann, le him agus subh sméar dubh orthu.

'Ba cheart duit cúpla uair an chloig codlata a fháil anois,' arsa Saoirse.

'Sea,' arsa Máirtín, ag méanfach. Dúirt sé gur bhreá leis sin a dhéanamh. Agus dhéanfadh. Ach ar dtús chuirfeadh sé glaoch ar Bhrian agus ar Shiobhán.

Chroith Saoirse a ceann, agus amhras uirthi. D'ól sí féin a cuid caife agus smaoinigh ar cad a dhéanfadh sí inniu. Bhí sé deacair díriú ar ghnáthobair, agus an stuif seo go léir ar siúl. Bhí rang le tabhairt aici anocht ag a seacht a chlog san ionad oideachais, ach bhí gach rud réidh aici chuige sin.

'Cabhróidh mé leat inniu,' a dúirt sí.

'Ní gá, a chroí,' thug sé barróg di. 'Tá tú gnóthach tú féin. Agus i ndáiríre ní ceart duit an iomarca baint a bheith agat leis an ngnó seo. Fág fúinne é.' Dhein sé méanfach mór eile.

'Táim ag iarraidh bréan den rud ar fad,' arsa Saoirse.

Thug sé sracfhéachaint ghéar uirthi.

'Mise chomh maith leat,' arsa sé. 'Ach... ná bac leis a thuilleadh, ceart go leor?'

Ní dúirt sí faic.

14

Chuir Máirtín glaoch ar Siobhán Uí Laighin, agus d'iarr uirthi duine éigin a aimsiú a mbeadh ar a chumas beagáinín Oghaim a aistriú.

'Ogham?' arsa sise, gan tuiscint. 'Cad é sin?'

'Ogham. An saghas scríbhneoireachta sin a bhíodh acu ar chlocha fadó fadó. Sular thosaigh siad ag scríobh na haibítre atá againn anois.'

Ní raibh Máirtín cinnte go raibh an ceart aige. Ach shíl sé go raibh a leagan féin de stair na scríbhneoireachta cóngarach go leor don fhírinne.

'Cá bhfaighinn duine a bheadh in ann an rud seo a léamh?' arsa sise. 'Sa leabharlann?'

'Bhuel – seans go mbeidís ábalta comhairle a chur ort,' arsa Máirtín. 'Is dócha go mbeadh ort dul go dtí ollscoil éigin. Roinn na Gaeilge áit éigin. Nó Roinn na Sean-Ghaeilge.'

'OK, fág liom é,' arsa Siobhán. 'Déanfaidh mé mo dhícheall. Agus cá bhfuil an rud atá le haistriú?'

D'inis Máirtín di go raibh sé aige ina sheilbh, agus go

dtabharfadh sé isteach chuig an mbeairic é tar éis dhá uair an chloig codlata a fháil.

Chomh luath agus a bhí an comhrá seo críochnaithe, isteach leis sa leaba. Thit sé ina chodladh cúig soicind i ndiaidh dó a cheann a leagadh ar an bpiliúr.

Bhí Saoirse sa chistin ag ól cupán tae luibhe – inniu, bhí sí ag iarraidh staonadh ó chaife. Bhí an-dúil aici sa chaife, ach chreid sí nach ndearna sé aon mhaitheas di. Níor thaitin an tae luibhe léi, ach chreid sí a mhalairt. Go raibh buntáistí nár thuig sí i gceart ag baint leis an leacht leamh a ól.

Bhreathnaigh sí ar na nótaí a bhí breactha síos ag Máirtín.

Áine Uí Riain
59, Plásóg na Sabhaircíní.
Aois: 33
Pósta le Ruán Ó Riain. Beirt pháiste.

Cén tslí bheatha a bhí aici? Ní raibh aon nótaí scríofa ag Máirtín ó d'fhág sé Cuan an Chósta Órga. Seans go raibh níos mó ná seo ar eolas aige anois.

Chuaigh sí isteach sa seomra leapa. Ach nuair a chonaic sí ansin é ina chodladh go sámh, ní raibh sé de dhánaíocht aici é a dhúiseacht. Níor thaitin sé riamh léi duine a bhí ina chodladh a mhúscailt mura raibh géarghá leis. Ar an lámh eile de, níor theastaigh uaithi cur isteach ar Ruán, tar éis a raibh tite amach. Ar a laghad bhí sé de cheart aige a bheith fágtha gan cheistiú inniu. Cé go gceisteofaí é sula i bhfad. Mar fhear céile Áine, bheadh sé faoi amhras. Ag na gardaí. Ag Máirtín.

Tar éis tamaillín machnaimh, agus leath den chupán tae a ól, chuir sí uirthi a seaicéad, thóg léi a scáth fearthainne, mar bhí cuma na báistí anois air, agus d'imigh léi.

Shiúil sí go dtí 59, Plásóg na Sabhaircíní.

Bhí Merc páirceáilte lasmuigh den teach agus an chuma air go raibh daoine sa bhaile.

Ach ní dhearna sí aon iarracht dul isteach. Ina ionad san, sheas sí agus an teach á iniúchadh aici.

Ar an gcéad amharc, bhí an teach seo cosúil leis na tithe eile ar Phlásóg na Sabhaircíní. Teach cuibheasach mór. Ceithre sheomra leapa, a mheas Saoirse. Trí sheomra folctha. Cistin mhór. An saghas sin tí. Bhí sé ina sheasamh leis féin i bplásóg chúng, cosúil le gach teach eile, iad an-chóngarach dá chéile.

Diaidh ar dhiaidh, thug sí difríochtaí faoi deara, rudaí a thug pearsantacht faoi leith don teach.

Bhí cuirtíní neamhghnácha ar na fuinneoga. Ar fhormhór na dtithe, ní raibh cuirtíní, ach dallóga lata, na cinn sin

déanta as adhmad, a bhí san fhaisean faoi láthair agus a
d'oir go maith do na tithe seo. Dallóga néata, simplí. Ach
na cuirtíní sa teach seo, tharraing siad aird orthu féin. Iad
geal – bán, le patrún mór corcra agus buí orthu. Ní raibh
a leithéid feicthe ag Saoirse cheana. Rith sé léi go ndearna
duine éigin an patrún sin a dhearadh agus a phriontáil í
féin. Áine?

Bhí rothar linbh agus liathróid agus seastán cispheile sa
ghairdín. Ach an rud ba neamhghnáiche ná go raibh
sraith bláthanna, lusanna na gréine, ag fás ar aghaidh an
tí; bhí ar a laghad fiche nó tríocha bláth ann, iad ard, claí
álainn órga idir an saol lasmuigh agus an saol laistigh.
Cuid acu ag meath anois ach a bhformhór fós faoi
bhláth.

Daoine cruthaitheacha a bhí ag cur fúthu sa teach, dar le
Saoirse.

Duine cruthaitheach, le samhlaíocht, ab ea Áine, dar léi.

Thosaigh cuimhne ag teacht ar ais chuici. Bhí an t-ainm
cloiste aici cheana i gcomhthéacs éigin. Ach fós níor
thuirling an chuimhne sin chun talún. Bhí sí ag eitilt
timpeall san aer, ag éalú uaithi. Go fóill.

Chuaigh sí go dtí an teach béal dorais agus bhuail an clog.
Freagra ní bhfuair sí. Ní raibh sí ag súil go mbeadh éinne
sa bhaile ag an am seo den lá. Ach bhain sí triail as an

teach ar an taobh eile. Agus d'fhreagair duine éigin an doras ansin.

Fear. Sna tríochaidí. (Bhí siad go léir sna tríochaidí ar Phlásóg an Sabhaircíní). A fhallaing seomra air. An chuma air nár bhearr sé é féin le lá nó dhó.

Ar saoire breoiteachta, a thomhas Saoirse, sular labhair sé in aon chor.

Bhí sé sceiptiúil nuair a mhínigh sí cad a bhí ar bun aici. Ach scaoil sé isteach í.

An teach trína chéile. Rian air gur fhág na háitreabhaigh faoi dheifir, mar a d'fhágfadh daoine áit éigin a bhí i mbaol buamála.

'Gabhaim leithscéal,' a dúirt sé, ag tógáil páipéar nuachta agus bábóg agus ceapaire leathite ó chathaoir uillinn. 'Ní bhíonn am againn glanadh suas ar maidin. Ag rith amach go dtí an naíolann agus obair... tá a fhios agat féin. '

'Tá an teach go hálainn,' arsa Saoirse, go dea-bhéasach, ag suí síos.

Chroith sé a cheann.

'Ní bhíonn sé néata ach ar feadh cúig nóiméad sa tseachtain. Ansin, gach rud trína chéile arís. Bhfuil cúram ort féin?'

Chroith sise a ceann.

'Níl. Ach tuigim.'

'*So*,' shuigh sé féin síos. 'Drochscéal. Dochreidte. Chualamar ar an nuacht é.'

'Sea.'

'Níor chualamar aon rud. Níor thugamar aon rud faoi ndeara,' a dúirt sé go tapa.

'Bhuel, seans go mbeidh na gardaí ag teacht timpeall uair éigin chun sibh a cheistiú faoi na nithe sin. Táimse ag iarraidh roinnt sonraí a fháil faoi Áine féin agus ní theastaíonn uaim cur isteach ar a fear céile inniu.'

'Ruán. An eisean a rinne é?'

Chuir an cheist ionadh ar Shaoirse.

'Níl a fhios againn cé a rinne é.'

'Ní hé go bhfuil aon tuairimí agam... ach bíonn an fear céile ciontach go minic sna cásanna seo, nach mbíonn?'

'Is fíor sin,' arsa Saoirse. 'An bhfuil aon rud tugtha faoi deara agatsa a chiontódh Ruán?'

Bhí sé ina thost ar feadh tamaillín. Bhreathnaigh Saoirse ar an bhfuinneog. Dallóga lata déanta as adhmad. Ní raibh siad oscailte aige fiú.

'Ara, ní ceart é a rá. Ach bhí sé ciotrúnta. Bhídís ag troid go minic. An bheirt acu. Cé gur tithe aonaracha iad seo chualamar iad. Ag argóint. Ag briseadh soithí. Nithe den saghas sin. Nílim ag rá go ndearna sé aon rud ní ba mheasa ná sin.'

'Hm,' arsa Saoirse. 'Ar thug tú faoi deara go raibh aon rud... marcanna, mar shampla – ar Áine? Na páistí?'

'Níor thug. Ní raibh. Bhí mo bhean chéile aireach, go háirithe maidir leis na páistí. Ach de réir dealraimh ní raibh i gceist ach focail. Agus plátaí briste. Agus an chéad rud eile an chuma orthu go raibh siad mór le chéile arís.'

'Tá sin an-suimiúil,' arsa Saoirse.

Cheistigh sí é faoi shlí bheatha Áine agus Ruán.

Ailtirí ab ea an bheirt acu. Iad ag obair le Ó Murchú agus Ó Murchú Teo.

Cosúil le hÍde Nic Urnaí.

Sular inis sé an chuid eile den scéal chuimhnigh Saoirse cár chuala sí faoi Áine roimhe seo.

'D'éirigh Áine as a bheith ina hailtire,' arsa Rupert. Sea, ealaíontóir. Ise a rinne an pictiúr sin a bhí ag mo dhuine i mBaile an Óir. 'Péintéir ab ea í freisin, agus d'éirigh sí as a post sé mhí ó shin nó mar sin, chun dul leis an ealaín go lánaimseartha. Agus aire a thabhairt don teach agus na leanaí.' An pictiúr sin den ráth. An ráth a leagadh.

'Mar sin, bhíodh sí sa bhaile i rith an lae? Bhí stiúideo aici sa teach?' a d'fhiafraigh sí.

'Bhí ceann de na botháin réamhdhéanta sin aici ar chúl an tí,' ar sé. 'Chuir sé isteach ar na comharsana. Fágann sé an gairdín ar an taobh eile faoi scáth.' Breandán Ó Briain. B'in an fear ar leis an pictiúr. Na pictiúir go léir. A cheannaigh Laoise dó. Laoise Ní Bhroin. Lig Rupert osna. 'Ní gá cead pleanála fiú chun na rudaí sin a thógáil.'

15

Tá an nuachtán spréite amach ar an mbord aige. Cupán caife ag a uillinn. An cuntas ar bhás Áine á léamh aige. Níl sí ainmnithe sa chuntas seo. Scríobhadh é sular labhair siad leis an gclann.

An ceannteideal *Craos na fola in Útóipe*.

Chuir sé sin ag gáire é. Thóg sé slog as a chupán caife.

Bean in aois a tríocha trí. Máthair beirte. Fuarthas a corp sa chuan ar an gCósta Órga, i bhfoisceacht deich dtroigh den ché. De réir an phaiteolaí stáit, Brenda Ní Choisdealbha, tachtadh í agus ansin cuireadh a corpán san uisce. Inné a maraíodh é.

'Chonaic mé bróg ar snámh ar bharr an uisce,' arsa Muiris Mac Murchaidh, an t-iascaire a tháinig ar an gcorp. 'Ansin thug mé faoi deara go raibh rud éigin san uisce, i bhfástó i slabhra ancaire.'

Dúirt an tUasal Mac Murchaidh gur baineadh geit uafásach as nuair a thuig sé gur corp a bhí faoin uisce in aice lena bhád iascaireachta. Is minic Muiris Mac Murchaidh amuigh ar an bhfarraige i gCuan an Chósta Órga.

'Áit chiúin suaimhneach is ea an Cósta Órga. Ní tharlaíonn aon drochrud anseo.'

Cé gur sin an tuairim atá ag an Uasal Mac Murchaidh agus na háitreabhaigh ar fad sa Chósta Órga agus sa bhaile máguaird, Dún an Airgid, is amhlaidh a dúnmharaíodh bean óg eile sa réigiún le déanaí, Íde Nic Urnaí. Agus tá bean eile ar iarraidh le mí anuas, Laoise Ní Bhroin, leabharlannaí i nDún an Airgid. Níl tásc ná tuairisc uirthi agus creidtear go bhfuil an baol ann go bhfuil sise marbh freisin. Níl aon dul chun cinn á dhéanamh ag an nGarda Síochána sna cásanna seo.

Tá na cásanna ag cur isteach go mór ar an bpobal sa cheantar. Ní chuige seo a cheannaigh siad tithe ar ardphraghsanna sa bhaile nua idéalach seo, Dún an Airgid

(Tuilleadh eolais, lch. 6)

D'iompaigh sé na leathanaigh. Ar leathanach a sé bhí cuntas mór ar Dhún an Airgid, conas mar a cruthaíodh an coincheap bunaidh, an stíl bheatha a bhí ag daoine ann. Raiméis.

D'éirigh sé ón mbord. Chuaigh go dtí binse a bhí aige ar an taobh eile den seomra beag ar a raibh ríomhaire glúine, é oscailte agus ar siúl. Bhí gach rud sa seomra beag ina áit cheart féin, an carbhán thar a bheith néata.

D'oscail sé comhad gan teideal. Laistigh ní raibh ann ach liosta ainmneacha.

Laoise Ní Bhroin
Íde Nic Urnaí
Áine Uí Riain
Muireann Nussbaum.

Bhí **X** in aice leis an dá ainm ag tús an liosta. Chuir sé an marc céanna in aice le hainm Áine Uí Riain.

Bhreathnaigh sé ar an gcéad ainm eile. Muireann Nussbaum. An duine ba mheasa leis orthu uile. Ní úsáidfeadh sé piliúr chun ise a mharú. Agus ní raibh sé chun í a chur i loch uisce, nó san fharraige ach an oiread. Bhí an tseift sin seafóideach, deacair, agus dainséarach.

Bheadh bás uafásach éigin i ndán do Mhuireann.

Cad é?

Bheadh air a thuilleadh machnaimh a dhéanamh air.

Thosaigh sé ag smaoineamh, a chloigeann idir a dhá lámh ann. Modh éigin simplí, éifeachtúil, agus gránna. B'in a bhí de dhíth an uair seo.

Tar éis dó a bheith ag smaoineamh ar feadh cúig

nóiméad, nó níos faide – mar bhí sé de chumas aige a aigne a dhíriú ar fhadhb agus suí gan chorraí ar feadh i bhfad – thosaigh sé ag scríobh.

D'fhág sé cúpla líne sa téacs.

Ansin chuir sé ainm eile leis an liosta:

Saoirse Ní Ghallchóir

Chuir sé comhartha ceiste i ndiaidh a hainm.

?

Ansin dhún sé an comhad sin gan teideal agus d'oscail sé comhad eile, leis an teideal: 'Gort na gCeann'.

Thosaigh sé ag scríobh.

16

Dhúisigh Máirtín. Bhreathnaigh sé ar an gclog taobh na leapa. Meán lae.

Thiontaigh sé ar a chliathán eile agus thit ar ais ina chodladh.

Nuair a dhúisigh sé arís léirigh an clog dó go raibh sé leathuair tar éis a ceathair tráthnóna.

Lig sé cnead as.

An lá curtha amú.

Cén fáth nár mhúscail siad é?

Léim sé as an leaba.

Rith go dtí an seomra folctha agus thóg cith. Bhí féasóg dhá lá air agus bhearr sé é féin go tapa, á ghearradh féin, ar ndóigh. Chuir sé píosa páipéir leithris ar an ngránú. Tharraing air a bhalcaisí. Bhí glaoch á chur aige ar Shiobhán agus é ag siúl amach go dtí an seomra suí.

'I mo chodladh an lá ar fad,' ar sé, go feargach. 'Cad é an scéal?'

'Tá na gardaí ar an gcósta ag fiosrú an cháis,' arsa sise. 'Tá siad i dteagmháil linn an t-am ar fad.'

'Ar cheistigh éinne an fear céile... cad is ainm dó?'

'Ruán. Ní dhearna. Beidh an jab sin agatsa amárach.'

'*So*... an gnáthscéal. Faic na ngrást.'

'Bhuel, sea. Tá an corp fós á scrúdú do DNA agus mar sin de. Déanfar comparáid leis an DNA a fuarthas ar chorp Íde Nic Urnaí. Tógann sé tamaillín.'

'Agus idir an dá linn ...'

'Tá rud amháin. Tháinig mé ar ainm scoláire le sean-Ghaeilge.'

'Go hiontach!' arsa Máirtín, go searbhasach.

'Ní mhúintear Sean-Ghaeilge a thuilleadh sa tír seo,' arsa Siobhán. 'Aisteach go leor. Caithfidh daoine a chuireann spéis inti dul go Meiriceá, nó Cambridge i Sasana, de réir dealraimh.'

Bheadh air grianghraf maith digiteach de na suaitheantais a fháil agus iad a sheoladh chuig an ollamh seo, in Cambridge nó in Harvard nó pé áit.

'Ceart go leor,' arsa Máirtín, ag tógáil amach a leabhar nótaí. 'Tabhair na sonraí dom agus rachaidh mé i dteagmháil leis.'

'Liam Burn,' arsa Siobhán. 'Ach tá cónaí air anseo, i nDún an Airgid.'

'Cheap mé go ndúirt tú go raibh siad go léir i Meiriceá, na scoláirí seo?'

'Scoláire príobháideach is ea é. Duine ann féin cloisim, ach pé scéal é, de réir na leabharlannaithe anseo tá eolas maith aige ar Ogham agus mar sin de. Ball den leabharlann é agus bíonn sé ann gach lá nach mór. Liam Burn. Tá cónaí air ar Bhóthar an Ghearradh, amuigh ansin in aice le Baile na mBocht'.

'Bóthar an Ghearradh? Amuigh ansin in aice leis an dún a leagadh?'

'Go díreach é.'

'Cén uimhir atá ar an teach?'

'Níl aon uimhir,' d'aithin sé ar ghuth Shiobhán go raibh sí ar tí bob éigin a bhualadh air agus go raibh sceitimíní uirthi. 'Níl mórán tithe ar an mbóthar sin. Tá cónaí air i gcarbhán. Tá sé suite i bpáirc cóngarach don timpeallán idir Baile na mBocht agus an M10. Ní fios go beacht cá bhfuil sé. Ach tiocfaidh tú air. Ní dóigh liom go bhfuil carbhán ar bith eile san áit.'

'Hm,' arsa Máirtín. 'OK.' arsa Máirtín. 'Rachaidh mé amach ansin láithreach.'

'Rud amháin eile,' arsa Siobhán. 'An fear sin, Marc Ó Muirí?'

'Sea.'

'Tháinig sé anseo inniu, ag iarraidh labhairt leat. Dúirt mé go gcuirfeá glaoch air.'

'Go maith,' arsa Máirtín. 'Déanfaidh cinnte.'

***

Ní raibh fonn ar Mharc labhairt le Máirtín sa bhaile. Ach bhí fonn air labhairt leis láithreach. Bhuail siad lena chéile sa bheairic.

Shuigh sé sa chathaoir os comhair an bhoird amach, gan cuireadh a fháil.

Bhí a leabhar nótaí oscailte ag Máirtín, ar an mbord.

Bhí an chuma ar Mharc go raibh sé neirbhíseach. Bhí sé bán san aghaidh. Bhí a chuid gruaige trína chéile.

'Tráthnóna maith duit,' arsa Máirtín. 'Agus conas is féidir liom cabhrú leat?'

D'fhéach Marc thar a ghualainn ag an doras. Bhí sé féin díreach tar éis an doras a dhúnadh ina dhiaidh.

'Níl éinne eile ag éisteacht,' arsa Máirtín. 'Ná bíodh eagla ort.'

'Ceart go leor,' arsa Marc. 'Tá rud éigin le hinsint agam duit. Rud éigin tábhachtach. Ach nílim ag iarraidh go gcloisfeadh éinne eile é.'

D'fhan Máirtin ina thost, ag féachaint ar Mharc. Smaoinigh sé go tapa. Mar gharda, ní fhéadfadh sé gealltanas a thabhairt eolas ar bith a bhain le dúnmharú a choimeád faoi rún. Seans go raibh Marc chun a rá gurbh eisean a mharaigh Íde Nic Urnaí, gurbh eisean a mharaigh Laoise Ní Bhroin. Gurbh eisean a mharaigh Áine Uí Riain. Rinne sé cinneadh tapa.

'Más eolas tábhachtach a bhaineann le briseadh an dlí – le dúnmharú, cuirim i gcás – ní bheidh ar mo chumas aon ghealltanas a thabhairt gan an t-eolas sin a scaoileadh leis na húdaráis chuí.'

Stad sé den chaint arís tamaillín, agus d'fhéach ar Mharc go cineálta. Ansin:

'Ach déanfaidh mé mo dhícheall. Agus más rud é nach mbaineann sé le briseadh an dlí, tugaim gealltanas duit gan focal a rá le héinne eile faoi.'

Chuir Marc a cheann ar leataobh. Rinne sé leamhgháire beag neirbhíseach.

'Níl an rud a rinne mé i gcoinne an dlí, go bhfios dom.'

'Go maith.'

'Tá a fhios agam go bhfuil bean eile marbh. Ní mise a mharaigh ise. Nó Íde Nic Urnaí.'

'Nó Laoise Ní Bhroin?'

'Nó Laoise. Ach tá a fhios agam go bhfuil tú amhrasach fúm. Agus tá an ceart agat. Bhí mé mór le Laoise Ní Bhroin.'

'Ó!'

Go tobann bhí an chuid sin den scéal níos soiléire. Ar ndóigh. Bhí sé mór léi.

'Níl a fhios ag Trish. Mo bhean chéile.'

'Nílimse chun an scéal a insint di.'

'Ní raibh mórán i gceist. Bhíomar le chéile le trí mhí anuas. Ó mhí Bealtaine.'

Ceithre mhí, arsa Máirtín leis féin. Ach ní os ard.

'Bhuailimis le chéile uair nó dhó sa tseachtain, ina teach gan amhras. An 'ghnáth-áit'.

'Conas a chuir tú aithne uirthi ar dtús báire.'

'Chuaigh mé go dtí an teach chun cófra a chur isteach di. Bhí an chuid sin den scéal fíor.'

Chuaigh tú chun cófra a chur isteach agus d'fhan tú ann. An chreatlach sa chófra. Ní fheadair Máirtín an nós a bhí ag Marc a leithéid de ghaol a thionscnamh lena chuid custaiméirí. Ach níor chuir sé an cheist sin ar Mharc.

'An raibh tú i ngrá léi?'

Chuir an cheist seo ionadh ar Mharc.

'Bean álainn ab ea í. Bhí mé ceanúil uirthi. Bhí sí i bhfad níos paiseanta ná mar a shílfeá, ó í a fheiceáil sa leabharlann. Ach...ní raibh aon rud dáiríre i gceist. Táim i ngrá le Trish.'

'Ó, bhuel.'

'Agus, inis dom faoin uair dheireanach a chonaic tú í? Laoise atá i gceist agam.'

'An Mháirt sular imigh sí. Bhí seans agam dul chuici an oíche sin agus thóg mé é. Ansin bhí mé le bualadh léi ar an Aoine, agus an Satharn – bhí Trish ag dul go dtí a máthair. Téann sí nach mór gach deireadh seachtaine, mar tá a máthair críonna agus tinn faoi láthair.'

'Tuigim.'

'Ach ní raibh sí sa bhaile nuair a chuaigh mé thart.'

'Cén t-am?'

'A deich a chlog.'

Sin a deir tú pé scéal é.

'Agus?'

'Ghlaoigh mé ar an teach cúpla uair ar an Satharn. Ansin tháinig Trish abhaile ar an Domhnach. Faoin Máirt, bhí an scéal cloiste agam ón leabharlann. Ó Trish.'

'Ní raibh a fhios ag Trish go raibh aithne ar bith agatsa ar Laoise Ní Bhroin, áfach?'

'Ní raibh. Ar ndóigh.'

Stad sé nóiméad agus dheargaigh a ghnúis.

'Ach luaigh sí go raibh an leabharlannaí ar iarraidh.'

Rinne Máirtín a cheann a chroitheadh, ionadh air.

'Bhfuil tuairim ar bith agat cá mbeadh sí?'

'Níl. Ach tá a fhios agam nach lena toil féin a d'imigh sí.'

'Conas sin?'

'Ní dhéanfadh sí a leithéid. Gan scéal a fhágáil leo sa leabharlann.'

'Nó leatsa?'

Rinne sé miongháire chúthaileach.

'Nó liomsa. Tá an ceart agat. B'in an saghas í.'

***

Dúirt sé le hOrna go raibh sé ag tiomáint amach go ceann tamaillín, agus go mbeadh sé ar fáil ar an bhfón póca.

Bhí sé a cúig a chlog tráthnóna agus bhí an trácht tiubh go leor i lár an bhaile. An bháisteach ag titim arís. Bíonn an trácht go dona chomh luath agus a thagann braon báistí, rud a chuir ionadh ar Mháirtín i gcónaí. In ionad scáth fearthainne a úsáid, chomh luath agus a thit braon, isteach le daoine ina gcarranna chun fothain a fháil.

Thóg sé leathuair an chloig air an timpeallán ag Baile na mBocht a bhaint amach. Ansin chas sé isteach ar Bhóthar an Ghearradh.

Bóthar aisteach a bhí ann.

Seanbhóthar a bhí i stráicí den bhóthar seo, cosúil leis na bóithre beaga a bhíodh go forleathan ar fud na hÉireann. É ag sní mar a dhéanfadh sruthán idir dhá bhruach. Bóthar a bhain le dreach nádúrtha na háite, leis an dúlra. Féar ag fás ina lár. Na claíocha ar an dá thaobh fós trom le toir agus sceacha. Sméara dubha ag sileadh uathu ar nós seoda gléineacha i liathfhliuchras an tráthnóna. Crainn choill, crainn bheithe, ag fás laistiar den chlaí sna páirceanna. Bhí ba i bpáirc amháin fiú. Seanfheirm in áit éigin de réir dealraimh. Feirmeoir éigin a dhiúltaigh a thalamh a dhíol leis na tógálaithe. Bíonn duine acu ann i gcónaí.

Bhí tuairim is dhá chéad slat den bhóthar ar an gcuma sin. Bóthar a bhí tar éis fás go suaimhneach le dhá nó le trí chéad de blianta, nó a bhí níos ársa ná sin fiú – cé aige a mbíonn eolas ar stair na mbóithre? Ní ag Máirtín ach go háirithe.

Tar éis dó tiomáint nóiméad eile d'athraigh an bóthar. Bhí tógáil ar siúl taobh leis. Na claíocha agus na crainn leagtha, an talamh réabtha as a chéile. An bóthar féin dírithe agus leathnaithe amach. An tír cosúil le páirc chatha. Na páirceanna gonta go dona, an seanbhóthar féin: marbh.

Agus taobh leis an áit ghránna seo a bhí an carbhán.

Istigh i gcúinne páirce nár chuir na tógálaithe isteach air go fóill. Crainn mhóra – seiceamair – timpeall air. Ionad a bheadh deas go leor murach a raibh ag tarlú taobh leis.

D'fhág Máirtín a charr ar thaobh an bhóthair agus shiúil tríd an bpáirc go dtí an carbhán. Bhí an féar fliuch agus ba thrua leis nach raibh buataisí rubair á gcaitheamh aige. Faoin am a rinne sé a bhealach go dtí an carbhán bhí a chosa fliuch báite, an taise súite tríd go dtí na stocaí.

Carbhán cuibheasach mór a bhí sa cheann seo. An saghas ar a dtugtar Teach Soghluaiste. Bhí cuma shlachtmhar air. É bán agus buí, agus an-ghlan. Mórthimpeall air, bhí an féar gearrtha agus bhí potaí bláthanna ina seasamh ann. Nuair a tháinig sé níos cóngaraí chonaic sé go raibh bláthanna fós ag fás iontu. Geiréiniamaí dearga, iad bláfar, slán, an chuma orthu gur thug an garraíodóir an-aire dóibh.

Ní raibh uimhir ar an gcarbhán, gan amhras, ach bhí ainm air, é scríofa sa seanchló Gaelach, a bhí ar a chumas a léamh.

'Gort na gCeann'.

Aisteach an t-ainm é, ar charbhán. Nó ar rud ar bith.

É snoite ar phlaic adhmaid a bhí greamaithe ar an doras.

Cé a dhéanfadh teideal mar sin a ghreanadh sa scríobh sin, a bhí Máirtín ag cuimhneamh, agus cnag á thabhairt aige ar an doras.

Cnag agus cnag eile.

Ach freagra ní bhfuair sé.

Ní raibh éinne sa bhaile.

Chuaigh sé timpeall an charbháin agus bhain triail as an gcúldoras.

Bhí sé faoi ghlas.

Bhreathnaigh sé isteach trí fhuinneog amháin.

Seomra suí. Néata, mar a bheifeá ag súil leis. Ríomhaire ar an mbord. Próca bláthanna ar bhord beag eile. Seilfeanna lán de leabhair ar bhalla amháin. Pictiúr deas i bhfráma ar bhalla eile.

Chuir gach rud faoin gcarbhán seo iontas air. Chuir sé rud éigin i gcuimhne dó ach níor fhéad sé ainm a chur air. Ach an rud ba mhó a chuir iontas air ná go raibh an áit ar fad chomh deas, chomh compordach, chomh sibhialta sin. Ní bheifeá ag súil le bláthanna agus seilfeanna leabhar i gcarbhán. Nó an réamhchlaonadh é sin a bhí aige féin? Baineann leabhair agus bláthanna agus pictiúir le lucht an rachmais, ní le lucht na gcarbhán? Na bochtáin. Lucht siúil.

An amhlaidh go raibh athruithe ag tarlú sa tsochaí nach raibh sé ag tabhairt aon aird orthu?

Agus ar ndóigh bhí a fhios aige cheana féin gur duine neamhghnách é an Liam Burn seo. Bhí sé le feiceáil sa leabharlann gach lá. Bhí sé in ann Ogham a léamh.

As a mheabhair gan amhras.

Bhreathnaigh sé isteach trí na fuinneoga eile ach níor thug aon rud nua faoi deara. Gach rud néata agus deas cosúil leis an seomra suí. Bhí fuinneog amháin a bhí clúdaithe le dallóg. An seomra folctha nó an leithreas. An mbíonn seomra folctha i rud den saghas seo?

Bheartaigh sé nóta a fhágáil ag Liam Burn, ag iarraidh air glaoch a chur air.

Ach ar an drochuair ní raibh peann ina phóca aige. Cé go raibh a leabhar nótaí buí aige, mar a bhí i gcónaí.

Ar ais leis go dtí an carr. Bheadh peann áit éigin ansin aige.

Fliuch.

Agus an fliuchras ar éirí fuar anois. Bhí méara na gcos leathreoite faoin am seo.

Bhí an ceart aige. Bhí peann luaidhe sa bhosca lámhainní (an raibh lámhainní riamh sa bhosca sin ag éinne? Seans nuair a thosaigh daoine ag tiomáint fadó agus gluaisteáin oscailte acu. Smaoinigh sé. Nach mór an trua nach stocaí a bhí ann? B'fhearr leis thar aon ní eile péire deas tirim a bheith anois aige). Thosaigh sé ag scríobh. Ach ní raibh ach trí fhocal breactha aige nuair a fuair sé glaoch teileafóin.

Brian Ó Murchú.

'Scéal,' arsa sé.

Bhí a fhios ag Máirtín óna ghuth nárbh aon dea-scéal é.

'Tá corpán eile faighte,' arsa Brian. 'Níl a fhios agam ach corp mná atá ann. Tháinig bean air agus í amuigh ag siúl lena madra tráthnóna, idir na ceathanna. Tá sé i gclaí ar chúlbhóthar. Bóthar an Chairéil.'

'Tá a fhios agam cá bhfuil sé. Tá sé cóngarach d'Eastát na Sabhaircíní.'

'Tá Siobhán agus Mike ann cheana féin. Mise ag imeacht ann anois. Tá sé cóngarach don timpeallán, in aice le coill bheag éigin. Chífidh tú na carranna.'

Thosaigh Máirtín an carr. Bhreathnaigh sé ar an gcarbhán. B'fhearr an nóta a fhágáil, mar sin féin. Scríobh sé go tapa, agus bhrostaigh ar ais tríd an bpáirc go dtí an carbhán. Rud nár thug sé faoi deara cheana ná nach raibh bosca litreach air. Ní raibh am aige smaoineamh. D'fhág sé an nóta faoi phota geiréiniamaí, leath den bhileog ag gobadh amach, ionas go bhfeicfeadh Liam Burn é nuair a d'fhillfeadh sé abhaile.

Rith sé ar ais go dtí an gluaisteán. Bhí a bhróga lán d'uisce faoin am seo agus a chosa ar nós dhá chnap oighir, ach níor thug sé sin faoi deara.

Shroich sé Bóthar an Chairéil laistigh de dhaichead nóiméad. Bhí an trácht go dona anois, an bháisteach ag titim agus gaoth láidir ag séideadh. Ag tolgadh stoirme.

Bóthar deas ciúin a bhí i mBóthar an Chairéil. Cosúil le Bóthar an Ghearradh sular ndearnadh é a fhorbairt. Ní raibh forbairt ar bith á déanamh ar an mbóthar seo. Go fóill pé scéal é. Áit é a d'úsáid muintir eastát na Sabhaircíní chun dul amach ag siúl nó ag rith air, mar chaitheamh aimsire. Ba mhinic Saoirse ann. Ní raibh mórán dúil ag Máirtín féin i bheith ag siúl nó ag rith agus dá bhrí sin ní raibh taithí aige ar an taobh seo tíre.

Bhí Siobhán agus Mike ina seasamh faoi scáth fearthainne

dubh. An dorchadas ag titim orthu. An fhoireann eile fós le teacht.

Ní raibh cead acu cur isteach ar an gcorp.

Ach chonaic siad é ina luí sa chlaí. Bhí sé leathchlúdaithe le málaí plaisteacha dubha. Anuas orthu seo bhí gaineamh, duilleoga, agus sceacha.

Ní dhearna an té a chur an corp anseo iarracht ródháiríre é a choimeád faoi cheilt. Nach aisteach nár tháinig madra air níos luaithe?

'Níos luaithe?' arsa Siobhán. 'Cad atá i gceist agat?'

'Seo corp Laoise Ní Bhroin,' arsa Máirtín.

Bhí an aghaidh le feiceáil, sa chlaí. An aghaidh, leath den chorp, ón gcom aníos. Blús bán air, nó blús a bhí bán lá den saol. D'aithin Máirtín an aghaidh sin. Bhí sé tar éis a bheith ag breathnú go géar ar ghrianghraif di le dhá mhí anuas. Ba bheag cosúlacht ar bhealach amháin idir an rud a bhí sa chlaí, é salach, caite, tanaí ar nós creatlaí, agus an aghaidh ghealgháireach ghleoite a bhí sna grianghraif. Ach ba é an aghaidh chéanna í mar sin féin.

'Chuaigh Laoise ar iarraidh dhá mhí ó shin,' arsa Siobhán.

'Sea.'

'Níor maraíodh an bhean seo dhá mhí ó shin. Tá sé sin

soiléir. Bheadh sí ina cnámharlach beagnach faoin am seo...'

'Bhuel. Tá sí ar iarraidh le dhá mhí. Ach ní chiallaíonn sin gur maraíodh í dhá mhí ó shin.'

'Fan go bhfeicfimid.'

Bhí an ceart ag Máirtín. Corp Laoise Ní Bhroin a bhí sa chlaí.

'Níor maraíodh í,' arsa an paiteolaí. 'Fuair sí bás. Más féidir sin a rá faoin mbás seo. Fuair sí bás den ocras agus den tart.'

'In ainm Dé.'

Ghearr Máirtín comhartha na croise air féin.

'Ní raibh greim ite aice le beagnach dhá mhí anuas. Agus ní bhfuair sí uisce le seachtain anuas. Bás an-ghránna a bhí aici.'

Bhí deora i súile an phaiteolaí.

'An bhean bhocht. Féach uirthi.'

Ní raibh inti ach creatlach. Craiceann fós uirthi, ach seachas sin gan inti ach na cnámha. Cló na fulaingthe ar a gnúis, greanta ar éadan a báis.

'Agus...'

Shín sí rud éigin chuige.

Suaitheantas eile. Airgead. Ogham.

'Níl amhras ar bith anois ann. Dúnmharfóir srathach ar ráig an áir. Ní foláir nó gur choimeád sé Laoise Ní Bhroin ina cime ocrach go dtí gur éag sí. An fear céanna a mharaigh an bheirt eile.'

Bhí na bróistí eile ag Máirtín ina phóca. Tharraing amach iad. Rinne comparáid. Iad go léir díreach mar an gcéanna. Ach go raibh difríocht idir na línte beaga a bhí snoite orthu. Bheadh air dul ar ais go dtí an fear sin sa charbhán, anocht dá m'fhéidir. Níor cheart a thuilleadh ama a chur amú.

17

D'fhág sé a ghluaisteán ar thaobh an bhóthair. Uaireanta thiomáineadh sé isteach sa pháirc é ach bhí an féar fliuch agus bheadh sé sleamhain. Agus bheadh sé in am dul amach arís sula i bhfad.

Bhí brón air nár thiomáin sé isteach agus é ag siúl go dtí an carbhán. An fliuchras! Bheadh air a bhróga a athrú, agus níor thaitin an péire eile go rómhór leis. Chaithfeadh sé a bhuataisí ag dul ar ais go dtí an carr dó. Rinne sé cinneadh iad a thabhairt leis i gcónaí, anois agus an geimhreadh ag teacht. Bheadh an pháirc fliuch mar seo go minic.

Bhí dhá cheann de na potaí lasmuigh den charbhán leagtha. An ghaoth. Bláth amháin briste, cré scaipthe ar an bhféar. Chuir sé na potaí ina seasamh arís agus shocraigh na bláthanna chomh maith agus ab fhéidir leis. Bhí an bháisteach fós ag stealladh anuas.

Isteach leis sa charbhán.

Gach rud ina áit.

Chuaigh sé síos go dtí an seomra leapa ina mbíodh Laoise ina príosúnach. Cé nach raibh sa seomra ach leaba agus pota ina ndéanadh sí a gnó fad a bhí sí fós in ann chuige sin, bhí cuma ghránna mhíshlachtmhar ar an seomra. Boladh uafásach. Ní raibh cos leagtha aige ann le coicís anuas, ón lá a stop sé ag tabhairt uisce di, go dtí aréir, nuair a thug sé faoi deara go raibh sí marbh. (Idir an dá linn, d'oscail an doras agus thug sracfhéachaint uair sa lá, ag seiceáil an raibh sí beo nó marbh, ach níor chuir cos san áit. Príosún. Tuama). Bhí na ballaí scríobtha aici. Rinne sí sin ar dtús, ag iarraidh aird a tharraingt uirthi féin. Fóirithint ní bhfuair sí. Ní chloisfeadh éinne fothram ar bith ón áit seo, é iargúlta go maith, agus búireach na n-inneall mór ann cuid mhaith den am ón ionad tógála thíos an bóthar. Bhí air í a cheangal ina dhiaidh sin, idir lámha agus chosa, gan amhras. Gobán ina béal ón gcéad oíche a tháinig sí anseo, go toilteanach, an óinseach. Shiúil sí isteach ina tuama féin go toilteanach.

Bheadh air an seomra a ghlanadh ó bhun go barr. Agus bheadh air sin a dhéanamh láithreach. Ní fhéadfadh sé maireachtáil leis an mbréantas, an salachar, sin, ina áit chónaithe. Ní chodlódh sé néal. Thar aon ní eile, b'fhuath leis salachar.

Chuir sé an raidió ar siúl.

Bhí sí aimsithe cheana féin acu!

Níor chuir sé sin ionadh air. Ródhéanach anois, áfach. Níor tháinig éinne ag siúl anseo, le madraí móra costasacha, ar ndóigh. Baile na mBocht. Leag siad na coillte anseo. Leag siad an dún, an ráth a bhain leis na sióga, an dún ársa stairiúil. Mhill siad an bóthar. Níorbh amhlaidh d'eastát na Sabhaircíní. Fágadh Bóthar an Chairéil ansin, ar mhaithe le lucht an nua-rachmais. Agus a gcuid madraí. Ar mhaithe le daoine ar nós Laoise Ní Bhroin.

Thug sé abhaile í.

Bhí sí curtha i measc a comharsana agus a cairde aige.

Bheadh air deifir a dhéanamh.

Cé chomh fada agus a thógfadh sé orthu na leideanna a thuiscint?

Ní raibh siad cliste. An Saoirse sin. Nó an t-amadán a bhí mar leannán aici.

Dhéanfadh sé an seomra a ní uair amháin – bheadh air é a dhéanamh faoi dhó nó faoi thrí ar a laghad. Ansin dhéanfadh sé an gníomh deireanach a bhí le déanamh aige.

Líon sé buicéad sa tobán sa seomra folctha breá a bhí sa charbhán, agus dhoirt leathbhuidéal díghalráin ann. Chrom chun na hoibre.

∗∗∗

Ag a naoi a chlog bhí Máirtín fós ar Bhóthar an Chairéil.

Bhí na ceamaraí teilifíse, na hiriseoirí, lucht féachana, bailithe.

Eisean a labhair leis na ceamaraí an uair seo, cé nár thaitin an ealaín sin in aon chor leis.

'Níl aon eolas breise againn. Caithfear an corp a aithint fós.'

'Táthar ag rá gur Laoise Ní Bhroin atá ann.'

'Ní féidir liom aon rud a dheimhniú go dtí go n-aithneofar an corp. Aistreofar í go dtí teach na marbh san ospidéal sula i bhfad agus beidh an t-eolas sin againn maidin amárach ar a dhéanaí.'

Bhí a lán ceisteanna eile, faoi Íde Nic Urnaí agus Áine Uí Riain, agus an dúnmharfóir srathach.

D'admhaigh Máirtín go raibh an chosúlacht ann gur dúnmharfóir srathach a bhí i gceist, agus go raibh leideanna áirithe ag na gardaí. Go raibh dóchas acu teacht ar réiteach go luath.

'Agus idir an dá linn tá mná Dhún an Airgid i mbaol báis?'

Agallamh criticiúil a bhí ann.

Bhí Máirtín ar crith ina dhiaidh.

Chuir sé glaoch ar Shaoirse.

Bhí an nuacht cloiste aici.

Mhínigh Máirtín an scéal ar fad. Ansin dúirt go raibh sé ag dul timpeall go dtí an Liam Burn seo nuair a gheobhadh sé deis.

'Tá sé mall san oíche chun cuairt den saghas sin a thabhairt,' arsa Saoirse. 'Agus pé scéal é ní gá. Táim cinnte go bhfuil suíomh ar an idirlíon a chuirfidh ar mo chumas an scríobh sin a aistriú.'

'Ogham ar an idirlíon?' Bhain sin geit as.

'Sea. *Celtscript.* Bhain mé úsáid as nuair a bhí mé i nDún Dearg. Tá an ceantar sin lán de chlocha Oghaim.'

'Bhuel, is as an gceantar sin dom,' arsa Máirtín, roinnt bheag searbhasach. 'Tá sé tugtha faoi deara agamsa, fiú, go bhfuil na clocha sin ann. Chonaic mé go minic iad sa ghairdín sin, sa scoil.'

Ghabh Saoirse a leithscéal, ag gáire.

Agus dúirt sé go dtabharfadh sé na bróistí abhaile láithreach.

D'fhág sé Bóthar an Chairéil, ag gealladh go bhfillfeadh

sé laistigh de leathuair an chloig. Bhí a árasán féin sa chomharsanacht.

Bhí Saoirse ar an ríomhaire cheana féin, an suíomh cuí oscailte aice, nuair a tháinig sé isteach leis an bróistí.

Leag sé ar an mbord iad, ar phíosa páipéir. Bhain sé féin agus Saoirse úsáid as lámhainní plaisteacha agus na bróistí á láimhseáil acu.

Rinne sé cupán tae dó féin fad a bhí Saoirse i mbun oibre.

Shuigh sé ar an tolg.

Bhí sé ar tí titim ina chodladh arís. An méid a bhí tite amach ó dhúisigh sé tráthnóna!

Ó inné.

Áine Uí Riain. Marbh.

Laoise Ní Bhroin. Marbh.

Cad a bhí ag tarlú i nDún an Airgid? Cén cancar a bhí tar éis teacht isteach san Útóipe seo? Dhá mhí ó shin, bhí imní air nach mbeadh dóthain aicsin ann chun é a choimeád gnóthach. Go mbeadh air teanga nua a fhoghlaim, nó dul ag imirt gailf, chun a shuim sa saol a spreagadh. Agus anois ní raibh soicind le spáráil aige.

Rith sé leis nár ith sé greim ó am lóin inné. Is é sin le rá, greim ceart.

Ceapaire.

'Conas atá ag éirí leat?' arsa sé, ag smaoineamh ar cén saghas ceapaire a dhéanfadh sé. Bheadh air filleadh ar an suíomh sula i bhfad. Agus is ar éigean a bhí fuinneamh ann siúl amach go dtí an cuisneoir chun cáis agus pé rud a bhí ann a thógáil amach agus a ithe.

'Tógfaidh sé roinnt ama,' arsa Saoirse, sa ghuth sin a thug le fios dó go raibh sí sáite san obair. 'Tá litir amháin déanta amach agam.'

'Litir amháin?'

Bhreathnaigh sé ar a uaireadóir. Cúig nóiméad déag. Litir amháin.

'Cén litir é sin?'

'A. Sin an chéad litir ar an mbróiste a bhí ar Áine.'

'*So?* A hainm atá air?'

'Nílim cinnte. Níl ach dhá litir ar fad air, chomh fada agus a dhéanaim amach.'

Ansin bhraith sé taise agus fuacht na gcos. Rinne sé cinneadh. D'athródh sé a stocaí agus a bhróga. D'íosfadh sé ceapaire. Agus ansin thiomáinfeadh sé amach go dtí an carbhán agus Liam Burn agus gheobhadh sé aistriúchán ar na diabhail bróistí sin.

Chuaigh sé isteach sa seomra codlata. D'oscail an tarraiceán ina raibh na stocaí agus chuardaigh péire. Bhí thart faoi caoga stoca sa charn ach níor éirigh leis aon dá leathstoca a aimsiú – cé gur dubh an dath a bhí ar gach aon stoca ann. B'fhuath leis stocaí fánacha a chaitheamh agus mar sin chuir sé roinnt mhaith ama amú ag cuardach sular thug sé suas dó, agus tharraing stoca dubh le clog ar a sháil, agus stoca dubh gan chlog ar a sháil, ar a chosa. Amach leis ansin, é i ndrochghiúmar ceart, chun a cheapaire a réiteach agus a ithe. Ar ndóigh ní raibh cáis ar bith sa chuisneoir. Bhí dhá phíosa *salami* ann ach ag an nóiméad seo is cáis a bhí uaidh – an bhoige, an blas sin, blas na cáise, an comhdhéanamh tiubh sin a bhíonn ag cáis agus ag cáis amháin, sin a bhí de dhíth air chun ocras an lae agus pian an lae agus déistin an lae a chur de. Ach an t-aon cháis a bhí ann ná blúire beag crua agus dath crón géar air agus seanbhlas stálaithe. Bhí greim tógtha ag duine éigin as – é féin, seans maith. É chomh crua le cloch anois.

Bhuail sé an *salami* anuas ar chanta aráin, dhoirt gamba mór anlann trátaí air, agus d'alp siar é.

Ansin – 'Táim chun dul go dtí an fear sin sa charbhán,' ar sé.

Bhí Saoirse chomh dírithe ar a cuid oibre nár chuala sí é.

Dúirt sé arís é.

'Caithfidh mé dul ar ais. Agus sílim go mbuailfidh mé isteach go dtí mo dhuine sa charbhán. Sílim go mbeidh sé in ann na rudaí sin a aistriú gan stró ar bith. Ní fiú an dua a chur ortsa.'

Bhreathnaigh sé ar a uaireadóir. Leathuair tar éis a deich. Ní raibh sé chomh mall sin. Cé a bheadh ina chodladh ag an am seo den oíche? Bheadh Liam ina shuí, é ag léamh ceann de na leabhair sin a bhí aige. Rud éigin sa tSean-Ghaeilge, b'fhéidir. Nó sa Réamh-Cheiltis.

Bhreathnaigh Saoirse air.

'Tá ag éirí go maith liom,' ar sise. 'Tá roinnt litreacha eile oibrithe amach agam. Féach!'

Bhí liosta aici:

A
L B
U

Chroith Máirtín a ghuaillí.

'Go maith. Maith thú. Ach ní chabhraíonn sé sin liom. Tabhair dom na bróistí le do thoil.'

Ní raibh fonn ar Shaoirse scaoileadh leis na bróistí.

'Fan soicind!' a dúirt sí.

Fuair sí leathanaigh bhána agus peann. Chomh maith

agus a bhí ar a cumas rinne sí na litreacha, nó na marcanna Oghaim a chóipeáil ó na bróistí go dtí an pár. Leathanach amháin in aghaidh bróiste amháin.

Ansin thug sí na bróistí do Mháirtín. D'imigh sé leis.

Níor thóg sé i bhfad ar Mháirtín Bóthar an Ghearradh a shroicheadh ag an am seo den oíche. Bhí an bháisteach stoptha, an stoirm dulta i léig. Oíche gheal, úr, a bhí ann. An ghealach lán nó chóir a bheith.

Nuair a tháinig sé chomh fada leis an bpáirc ina raibh carbhán Liam, 'Gort na gCeann', suite, ba léir go raibh duine éigin sa bhaile ann. Lasmuigh den gheata bhí gluaisteán páirceáilte – *Micra* dearg. Rinne Máirtín nóta den uimhir. Bhí solas ar lasadh sa charbhán féin, agus solas na gealaí ag soilsiú na páirce. I ngile na hoíche rinne na crainn dhubha cúlbhrat ealaíonta don teach beag stáin. Amhail is dá mba bhaclainn bhog iad ag muirniú an charbháin, ag iarraidh é a chosaint ar an rud a bhí lasmuigh. Na hinnill agus na tógálaithe agus an nuashaol, de shíor ag déanamh scriosa ar an seancheann.

Lig Máirtín osna – nach minic a lig sé osna, le tamall anuas! D'oscail an geata agus shiúil go dtí an carbhán.

A dhiabhail! Nach raibh dearmad déanta aige arís na buataisí rubair a thabhairt leis!

Cé go raibh an féar beagáinín níos tirime ná mar a bhí níos luaithe, faoin am ar shroich sé an doras bhí na stocaí nua chomh fliuch agus a bhí a chuid eile a d'athraigh sé leathuair an chloig ó shin.

D'oscail Liam Burn an doras.

Fear meánairde. 5 troigh 10 n-orlach. Gruaig chatach dhonn. Féasóg bheag, an chuma air gur fás nua ab ea é. Súile bríomhara, cliste.

Scoláire tipiciúil, a shíl Máirtín. D'aithneofá ar a aghaidh gur duine é a bhí tugtha do na leabhair. Sibhialtacht agus léann le feiceáil ina shúile, ina chuid gruaige. Cé go raibh a chuid éadaigh saghas salach agus bhí sé dearg san aghaidh. An amhlaidh go raibh sé tar éis a bheith ag ól?

Ba léir gur baineadh geit as.

Sin mar a chuaigh Máirtín i bhfeidhm ar dhaoine go minic. Is beag duine a bhí sásta garda a fheiceáil ar an tairseach. Bhrostaigh sé chun Liam Burn a chur ar a shuaimhneas.

'Ná bíodh imní ort. Tá gach rud ceart go leor.'

Mura gcuireann tú an triúr ban marbh san áireamh, rud nár chuir, ag an nóiméad seo.

'Sea?' arsa Liam. 'Cad is féidir liom a dhéanamh duit?'

Sheas sé sa doras agus níor thug cuireadh do Mháirtín

teacht isteach. Laistiar de, ba bheag rud a bhí sé ábalta a fheiceáil nach raibh feicthe cheana féin aige, tríd an bhfuinneog.

'Nach bhfuair tú mo nóta?' a d'fhiafraigh Máirtín de.

Ní bhfuair. Agus conas sin? Mhínigh Máirtín dó faoin nóta agus mhínigh Liam gur tógadh le gaoth é, de réir dealraimh.

Bhí siad fós ar an tairseach.

'An miste leat mé a scaoileadh isteach?' arsa Máirtín. 'Beidh sé níos fusa an gnó atá agam a mhíniú duit laistigh.'

Ba léir ón dreach a bhí ar aghaidh Liam nach raibh fonn air ligean dó teacht isteach. Cén fáth? Thuig Máirtín láithreach go raibh rud éigin faoi cheilt aige. Ach ar ndóigh bhí rún ag beagnach gach duine, cúiseanna gur mhothaigh siad ciontach chomh luath agus a tháinig garda go dtí an doras. De ghnáth ní raibh faic i gceist. Peacaí inmhaite.

Sheas Liam siar agus lig do Mháirtín teacht isteach.

An seomra chomh néata slachtmhar agus a bhí tráthnóna. Ní raibh rian de bhéile le feiceáil. Nó fiú cupán nó gloine. Ní toisc ólachán a bhí Liam dearg san aghaidh, de réir dealraimh.

Bhí rud éigin an-aisteach sa charbhán áfach. Boladh láidir. Díghalrán. Amhail is a bhí an áit báite sa stuif.

Gan smacht aige air féin, rinne Máirtín pus. B'fhuath leis an boladh sin. Chuir sé na leithris sa bhunscoil i gcuimhne dó. Leithris a bhí uafásach fuar, salach, agus plúchta ag díghalrán gránna éigin, measctha le boladh eile.

Thug Liam an pus faoi deara.

Rinne sé gáire beag.

'Gabhaim leithscéal,' a dúirt sé. Thug sé féin sracfhéachaint ar an tseilf leabhar a bhí taobh thiar de Mháirtín, áit a raibh a thua leagtha aige ar an gceann íochtarach, in aice leis na leabhair nár léigh sé go minic. Eagráin léannta de litríocht na Gaeilge, idir shean agus nua, a lán acu deas le breathnú orthu, faoi chlúdaigh uaine, agus cló órga. *Táin Bó Cuailgne. Leabhar Gabhála Éireann. Dánta Phiarais Feiritéir.* Bhí bailiúchán deas aige.

'Táim tar éis an oíche a chaitheamh ag glanadh an charbháin,' arsa sé. 'Bhí sé i riocht uafásach. Tá a fhios agat mar a bhíonn baitsiléirí!'

Rinne Máirtín a cheann a chlaonadh, miongháire beag á dhéanamh aige.

'Tuigim go maith,' a dúirt sé. Bhí a fhios aige anois cad ba chúis leis an léine shalach. Agus an lasadh sin ina ghrua. Bhí Liam te toisc go raibh sé tar éis a bheith ag obair go dian. 'Anois. Mo ghnó. Cloisim go bhfuil léann na Sean-Ghaeilge agat?'

Agus bhreathnaigh sé timpeall, ag féachaint ar na leabhair. Chonaic sé an tua ina luí in aice le *Fled Bricrenn*. Baineadh geit as féin.

Thug Liam faoi deara go raibh an tua feicthe ag Máirtín ach bheartaigh sé gan aon rud a lua faoi. *Qui s'excuse s'accuse.*

Leag Máirtín an trí bhróiste amach ar an mbord. Bhí éadach boird air, cadás guingeáin, bán agus dúghorm. Chuir sé na bróistí ar na cearnóga gorma.

'An aithníonn tú iad seo?' arsa Máirtín.

'An aithním iad?' arsa Liam.

Ag an nóiméad sin, fuair Máirtín boladh eile sa seomra. Boladh a bhí measctha le boladh an díghalráin. Chuir sé an boladh sin a fuair sé an chéad uair dó briseadh isteach i dteach Laoise i gcuimhne dó.

'An raibh iasc agat don dinnéar?' ar sé, go tobann.

'Cad é?' baineadh geit as Liam.

'Iasc. An boladh sin? Boladh éisc lofa, nach ea?'

Rinne Liam miongháire.

'Sea. D'fhág mé píosa bradáin sa chófra seachtain ó shin. In ionad é a chur sa chuisneoir. Déanaim rudaí mar sin uaireanta. Nuair a tháinig am dinnéir, bhí an diabhal bradáin á chuardach agam i ngach áit ach níor tháinig mé air. Go dtí inniu. Sin an fáth go raibh orm an áit a ghlanadh amach.'

'An t-ollamh dearmadach!' arsa Máirtín. Amhras ag teacht air faoi Liam. Cén fáth nár luaigh sé an bradán roimhe seo?

Ach bhí cúram anseo air.

'An aithníonn tú na marcanna seo?' arsa Máirtín, ag pointeáil ar an scríbhneoireacht.

'Ar ndóigh,' arsa Liam. 'Ogham atá ann. Tá sé coitianta go leor, ar bhróistí den saghas seo. Chím go forleathan iad i siopaí seodóra.'

'Go díreach,' arsa Máirtín. 'An bhféadfá an script a aistriú dom? Tá sé tábhachtach.'

'Is féidir,' arsa Liam. 'Ach an miste leat insint dom cén tábhacht atá leis?'

Smaoinigh Máirtín. Ní raibh aon chúis gan an scéal a thabhairt do Liam. Ach bheartaigh sé gan sin a dhéanamh.

'Ní féidir liom na sonraí a thabhairt duit anois,' ar seisean. 'Baineann sé le fiosrú atá ar fós faoi lán seoil, agus faoi rún. Tá brón orm. Beidh táille bheag ag dul duit ar an obair.'

'Cé mhéad?' arsa Liam.

Ní raibh tuairim ag Máirtín. Bhreathnaigh sé ar na bróistí. Ní raibh ach dhá litir ar gach ceann, de réir Shaoirse. Cé mhéad a d'íocfá le duine ar sé litir a aistriú? Sé litir. Cé mhéad a fuair aistritheoirí ar a gcuid oibre?

'Caoga euro,' arsa Máirtín. Ag cur san áireamh gur Ogham a bhí i gceist. Script nach raibh ar a dtoil ag mórán, murab ionann agus Fraincis nó Gearmáinis.

'Ceart go leor,' arsa Liam. 'Tar ar ais maidin amárach agus beidh sé agam duit.'

Ní róshásta a bhí Máirtín leis sin.

'Amárach? Shíl mé go mbeifeá ábalta é a dhéanamh anois láithreach.'

Bhreathnaigh Liam ar a uaireadóir.

'Tá sé a haon déag a chlog san oíche,' arsa seisean. 'Tá sé in am domsa dul a luí. Beidh orm rudaí a sheiceáil. Bíonn na cúrsaí seo i gcónaí níos casta ná mar a shíltear. Geallaimse duit go mbeidh do bhróistí aistrithe agam roimh a deich a chlog maidin amárach.'

''Bhfuil uimhir fóin agat?' arsa Máirtín. Ní raibh fonn air na bróistí a fhágáil anseo.

Thug Liam uimhir dó.

'Más mian leat,' arsa seisean, 'Tig liom na litreacha a chóipeáil agus tig leatsa na bróistí a thabhairt leat. Ach geallaim go bhfuil siad sábháilte go leor, nílim chun éalú leo, nó chun iad a leá, nó aon rud. Ní fiú mórán iad pé scéal é.'

Ach mar fhianaise i gcás dúnmharaithe.

Ach ar an lámh eile de, bhí cóipeanna den script ag Saoirse, agus bhí grianghraif dhigiteacha ag Siobhán.

'Ceart go leor,' arsa Máirtín. 'Fillfidh mé maidin amárach, ar a deich a chlog. Slán leat.'

'Oíche mhaith,' arsa Liam, agus léim chun an doras a oscailt dó.

***

18

Bhí Saoirse ag baint sásaimh as na comharthaí Oghaim a dhéanamh amach. Ní rófhada a thóg sé uirthi iad a aistriú go litreacha Rómhánacha.

Ar an gcéad bhróiste, a bhí á chaitheamh ag Íde Nic Urnaí nuair a fuarthas marbh í, bhí an dá litir:

I
U

Ar an gceann a bhain le hÁine Uí Riain:

A
R

Agus ar an mbróiste deireanach, an ceann a fuarthas ar chorp Laoise, díreach mar a bheifeá ag súil leis, bhí na litreacha seo:

L
B

Gan amhras, ceannlitreacha ainmneacha na mban truamhéalacha sin. Íde Nic Urnaí, Áine Uí Riain, Laoise Ní Bhroin.

Ach ní raibh mórán eolais le baint as an méid sin. Níor

chomhtharlú é go raibh na seoda seo á gcaitheamh ag an triúr. Bheadh sin iomarcach. Cé nach raibh sé as an áireamh ar fad gur cheannaigh siad na bróistí seo go neamhspleách, chomh fada agus a bhí a fhios ag Siobhán nó Máirtín, ní raibh a leithéid ar díol sna siopaí seodóra i nDún an Airgid. Agus aon seodóir a rinne na bróistí seo, ba ghnáth leis nó léi ainm baiste iomlán a chur orthu, seachas ceannlitreacha ainm agus sloinne. Áine, nó Laoise, a mheasfá, in Ogham, seachas A R.

An dúnmharfóir a rinne iad. A fuair iad in áit éigin. Agus a chuir ar a chuid íobartach iad. Mar chomhartha? Teachtaireacht do na gardaí?

Ag magadh fiú?

Bhí an léaráid a bhí déanta ag Máirtín ar an mbord aici.

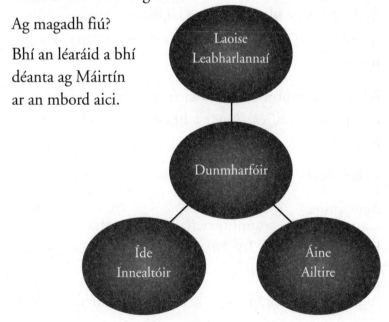

Chuir sí leathanach mór bán ar an mbord agus thosaigh ag súgradh le litreacha

Laoise. Ba ise an chéad bhean a d'imigh gan tuairisc.

Laoise Ní Bhroin. Leabharlannaí.

agus ansin

Íde Nic Urnaí. Innealtóir.

agus ansin

Áine Uí Riain. Ailtire.

Stán sí go géar ar na focail. Agus ar na ceannlitreacha. Cad a bhí á rá ag an duine seo, an dúnmharfóir a bhí as a mheabhair? A thacht beirt bhan, a thug bás den ocras don tríú bean?

L
I
A

a chonaic sí.

Agus ansin,

B
U
R

Lia Bur?

Ní raibh ciall ar bith leis sin. Bhí rud éigin in easnamh.

Sheas sí agus shiúil sí timpeall an tseomra.

Bhreathnaigh sí amach an fhuinneog. Bhí an ghealach lán. Dún an Airgid ina luí go suaimhneach faoin solas caoin. Ní shílfeá go raibh rud ar bith as alt ar an mbaile álainn seo.

Bhí sé de cheart aici glaoch a chur ar Mháirtín chun a fháil amach conas mar a bhí aige, agus an fear sin sa charbhán. Liam Burn.

Liam Burn.

Is ansin a thuig sí.

An dá litir a bhí in easnamh. M agus N.

Chuaigh sí ar ais go dtí an leathanach.

Scríobh sí an dá litir dheiridh.

Laoise	ní	**Bhroin**	**Leabharlannaí**
Íde	nic	**Urnaí**	Innealtóir
Áine	uí	**Riain**	**Ailtire**
M?		N?	M?

Liam Burn.

Eisean an dúnmharfóir srathach.

Ní raibh amhras ar bith ann.

Is aige sin a bhí an cumas na bróistí sin in Ogham a dhéanamh.

Bhí aithne aige ar Laoise. Bhí a fhios aici gur mar sin a bhí mar bhíodh sé go minic sa leabharlann, dar le Deirdre Uí Cheallaigh. Seans go raibh aithne aige ar an mbeirt eile freisin.

Duine neamhghnách a bhí ann. Scoláire, scríbhneoir, iriseoir, a bhí ina chónaí ina aonar i gcarbhán.

Cén chúis a bheadh aige na mná sin a mharú?

Sin rud nárbh fhios.

Ach, bhí Máirtín ina theannta, ag an nóiméad seo.

Agus bhí íobartach eile uaidh. Duine éigin leis an gceannlitir M. Máirtín?

Ní oirfeadh Máirtín do phatrún na sraithe, do shraith an dúnmharfóra shrathaigh seo. Mná. Bhí dúil ag Liam i mná a mharú. Agus bheadh sloinne aici a thosaigh leis an litir N. Ní leis an F a bhí ag Máirtín, an Flaitheartach. Chomh maith leis sin, dá mbeadh sé dílis dá phatrún, bheadh gairm ag an té sin dár túslitir M freisin.

Máirtín Ó Flaithearta, Garda Síochána?

Ní dhéanfadh sin an gnó.

An chéad íobartach eile a bheadh aige ná bean leis na ceannlitreacha M agus N ina hainm. Agus bheadh sí ina mainicín. Nó ina maintín. Nó ina mátrún. Múinteoir.

Máthair?

O my gosh!

Ní raibh deireadh leis na féidearthachtaí.

Agus sin dá bhféadfaí brath air cloí leis an bpatrún.

Thóg sí amach a fón agus chuir scairt ar Mháirtín.

***

'Haidhe!' arsa Máirtín.

Bhí sé ag an ospidéal, áit a raibh corp Laoise ina luí sa mharbhlann, le dul faoi chorp-dhioscadh níos mine ná mar a bhí deanta uirthi cheana féin.

D'inis Saoirse dó a raibh faighte amach aici.

'Ní chuireann sé ionadh orm,' a dúirt sé, ag ligean osna. Osna eile.

Chuir an freagra sin iontas ar Shaoirse, áfach.

'Cad atá i gceist agat? Ní chuireann sé aon ionadh ort? Tá an cás réitithe agam. Tá a fhios agam cé a rinne na coireanna ar fad.'

'Sea, sea,' arsa Máirtín. 'Agus tréaslaím leat. Tá tú thar a bheith cliste. Is ar éigean... tá sé dochreidte go ndearna tú an stuif sin a léamh. Agus an míniú atá sna litreacha a oibriú amach.'

D'fhan Saoirse ina tost. Sea. Bhí sé dochreidte. Bhí sí thar a bheith cliste. Cé eile a dhéanfadh an rud a bhí déanta aici siúd, gan oiliúint ar bith orthu san Ogham nó sa tSean-Ghaeilge nó i dteanga ar bith?

Bhraith Máirtín nach raibh na rudaí cearta á rá aige. Ach bhí sé i marbhlann. Bhí bean a cuireadh chun báis ar shlí ghránna ar an taobh thall den seomra. Bhí sé i ndiaidh agallamh a bheith aige le dúnmharfóir, le húdar an áir.

'Tá ardmholadh ag dul duit. Is ar éigean a thuigim conas a tháinig tú ar an bhfírinne. Agus is mór an chabhair dúinn é mar cruthaíonn sé go bhfuil mo theoiric ceart.'

Lean sé air ag caint léi. Agus é ag caint le Liam thuig sé go raibh rud éigin faoi cheilt aige, gur inis sé bréag faoin iasc. Agus ag dul amach doras an charbháin dó, fuair sé blas den bhréantas sin arís, an drochbholadh lofa a bhí ina luí mar a bheadh sraith taobh thíos don phríomhbholadh, boladh an díghalráin. Mar a bheadh boladh feamainne folaithe ag boladh na farraige. Agus d'airigh a shrón an rud nár thuig a intinn ag an nóiméad sin: nár bholadh éisc a bhí ann in aon chor, ach rud éigin níos measa. Boladh an bháis.

Amuigh sa ghluaisteán, na doirse faoi ghlas aige, smaoinigh sé ar Liam agus an carbhán agus gach a raibh ar eolas aige faoin gcás.

Liam, duine a bhíodh go minic sa leabharlann. *Ergo*, bhí aithne aige ar Laoise.

Liam. Duine le carbhán a raibh ainm tugtha aige air. Cé a thugann ainm ar charbhán? Agus an t-ainm, Gort na gCeann. B'in an t-ainm a bhí ar an ráth a leagadh i mBaile na mBocht, ar mhaithe leis an M10. Agus cé a leag an ráth? An comhlacht innealtóirí ina raibh Íde Nic Urnaí fostaithe. Agus cé a rinne pictiúr den ráth? Áine Uí Riain.

Níor thuig sé i gceart conas a tháinig na píosaí go léir le chéile. Ach thuig sé go raibh nasc eatarthu agus go dtiocfaidís le chéile.

Agus gur Liam Burn an eochair.

Agus cé nár thuig sé conas a réiteodh sé an tomhas ar deireadh thiar thall, bhí sé beagnach cinnte gur Liam a choimeád Laoise Ní Bhroin faoi ghlas ina cime sa charbhán sin ón lá a d'fhág sí a teach i gClós na Sabhaircíní go dtí lá a báis – arú inné, de réir mar a bhí cloiste aige ón bpaiteolaí stáit, a bhí fós i mbun oibre.

'Sea,' arsa Saoirse. 'Sin a mheasaim freisin, ón Ogham. Ach cá bhfuil sé anois?'

'Ina charbhán,' arsa Máirtín.

'De réir an Oghaim agus na leideanna, tá sé ar intinn aige duine éigin eile a mharú,' arsa Saoirse. 'Cén fáth nach bhfuil sé faoi ghlas agat?'

Ceist mhaith.

'Níl cruthú agam ar aon rud,' arsa Máirtín. 'Is duine an-chliste é.' Bhuel, tá sean-Ghaeilge aige, a smaoinigh Saoirse. Ach is minic daoine atá cliste ar an mbealach sin dúr ar bhealaí praiticiúla. De réir dealraimh, ba chleasaí ildánach é Liam. Cad a thug siad ar an dia sin? Sa mhiotaseolaíocht?

Bhí Máirtín ag feitheamh go gcuimhneodh sé air.

'Tá dhá charr againn ag faire ar an gcarbhán. Tá siad lasmuigh den gheata. Chomh luath agus a thagann sé amach, leanfaimid é agus beidh sé againn.'

Lugh. B'in an t-ainm.

'Ach…' arsa Saoirse. Ach?

'Seans go bhfuil gunna aige. Agus tá a fhios agam go bhfuil tua aige, ceann an-ghéar. Creid mise, seo an tslí cheart chun é a dhéanamh.'

'MN?' arsa Saoirse. 'Gairm bheatha a thosaíonn leis an litir M?'

'Mairnéalach, maor, máthair ab. Murúch,' arsa Máirtín.

'Murúch? Cén rud é sin?'

'Murúch. Maighdean mhara. Sin a thugaimid orthu sa Daingean.'

'Ní dóigh liom gur maighdean mara atá i mbaol,' arsa Saoirse.

'Sílim go gciallaíonn sé rud éigin eile uaireanta sa ghnáthchaint. Striapach.'

Bheadh sé sin ag dul le ciall.

'Ach sin rud nár chuala mise riamh.'

'Bí cinnte gur chuala Liam Burn é,' arsa Máirtín. 'Ach... in ainm Chroim. MN. Agus M. Níl seans go dtiocfaimis uirthi. Beidh leathchéad ban leis na ceannlitreacha sin i nDún an Airgid. Téigh a chodladh anois, agus bí cinnte go bhfuil gach rud faoi ghlas agus an t-aláram ar siúl.'

Gheall Saoirse go ndéanfadh sí deimhin de sin.

19

I ndiaidh dó a bheith ag caint le Saoirse, labhair Máirtín leis an bpaiteolaí.

Dheimhnigh sí go bhfuair Laoise bás den ocras agus den tart. Ní raibh bia ar bith ina goile. An greim deireanach a d'ith sí, fuair sí dhá mhí ó shin é, an t-am a ndeachaigh sí gan tuairisc.

'Is féidir le duine maireachtáil gan aon bhia ar feadh tuairim is trí mhí, má bhíonn uisce á ól aici. Bhí uisce á fháil aici go dtí ceithre lá ó shin. Ansin... ní bheadh ar a cumas maireachtáil ach ar feadh dhá lá nó mar sin gan uisce, go háirithe agus í stiúgtha leis an ocras cheana féin.'

Chroith sí a ceann go brónach.

'Fuair sí bás ar an Luan. Cuireadh sa chlaí sin í lá nó dhó ó shin. Tá méarloirg tógtha acu uaithi agus beidh siad sin ar ais agaibh amárach.'

'Bhfuil aon leid ann maidir leis an áit inar coimeádadh í, agus an rud seo ar siúl?'

'Níl,' arsa an paiteolaí. 'Tá sé soiléir nár tugadh aire ar bith di. Bhí sí salach. Níor glanadh riamh í. Ní raibh deis aici í féin a ní. Riamh ón gcéad lá.'

Bhí an bheirt acu ina dtost tamaillín.

'Táimse ag dul abhaile,' arsa an paiteolaí. 'Oíche mhaith.'

'Oíche mhaith,' arsa Máirtín.

Bhí sé nach mór meán oíche.

Ach níor thiomáin sé abhaile, nó ar ais go dtí an bheairic. Ina ionad sin, thiomáin sé timpeall go dtí Bóthar an Ghearradh, agus an carbhán.

Bhí an dá charr garda ann i gcónaí.

Bhí an *Micra* dearg fós lasmuigh den gheata. Agus an solas fós ar lasadh sa charbhán. Díreach mar a bhí Máirtín ag ceapadh, ní duine é Liam a théadh a chodladh go luath san oíche.

Labhair sé le Mike, a bhí i gcarr amháin.

'Níor tháinig sé amach fós,' ar seisean. 'Chonaiceamar é san fhuinneog tamaillín ó shin. Ag bogadh timpeall. Níl aon rud tugtha faoi deara aige de réir dealraimh.'

Bhí carranna na ngardaí dorcha, gan solas, faoi scáth na gcrann agus na sceach.

'An bhfanfaimid go maidin?' a d'fhiafraigh sé de Mháirtín.

'Rachaidh sé a chodladh i gceann tamaillín,' arsa Máirtín.

'Ansin déanfaidh mé cinneadh. Dul isteach agus é a thógáil, is dócha.'

'Cén fáth nach ndéanfaimis anois é?' arsa Mike.

'B'fhearr liom deis a thabhairt dó teacht amach agus a chruthú go bhfuil sé ciontach... má tá sé ciontach.'

Ní raibh Mike sásta. Ach d'fhan sé san áit ina raibh sé. Agus shocraigh Máirtín isteach ina charr freisin. Ag faire. Ag feitheamh.

***

Ní Néill, Máire
Uí Neachtain, Mallaí
Ní Nualláin, Mairéad
Nic Niocaill, Máire.

Bhí an ceart ag Máirtín.

Bhí na céadta daoine leis na ceannlitreacha NM ina n-ainmneacha, sa leabhar teileafóin. Bhí sé seafóideach a bheith ag iarraidh teacht ar an duine a bhí ar intinn ag Liam Burn a mharú.

Ach rinne Saoirse cinneadh.

Chuirfeadh sí glaoch ar thriúr acu.

Chuirfeadh sí an cheist: Bhfuil aithne agat ar Liam Burn?

Agus mura raibh, d'fhágfadh sí mar sin é. Ar a laghad go dtí an lá arna mhárach.

Bhí sé ag druidim le meán oíche.

Seans maith go mbeadh na daoine sin imithe a chodladh.

Bhí sé de nós ag muintir Dhún an Airgid dul a chodladh roimh a haon déag. Bheadh sí féin ina codladh murach an ruaille buaille seo go léir.

An chéad ghlaoch, ar Mháire Ní Néill a rinne sí é.

Ní bhfuair sí ach gléas freagartha ag iarraidh uirthi teachtaireacht a fhágáil.

An dara glaoch, ar Mhairéad Ní Nualláin a chuir sí é. Fear a d'fhreagair an fón. Dúirt sé go raibh sí gnóthach agus glaoch ar ais ar maidin.

Uair amháin eile, dúirt Saoirse léi féin.

'Heileo?' arsa guth ar an líne.

'Dia dhuit,' arsa Saoirse. 'Mise Saoirse Ní Ghallchóir. An tusa Muireann Nussbaum?'

'Is mé,' arsa an guth.

'Tá an-bhrón orm cur isteach ort,' arsa Saoirse. 'Ach tá ceist amháin agam ort. Bhfuil aon aithne ar nó eolas agat ar fhear darbh ainm dó Liam Burn?'

Bhí ciúnas ar an líne.

'Em.. tá baint agam leis na gardaí,' arsa Saoirse. Rud a bhí fíor, ar bhealach. 'Tá sé seo práinneach.'

'Tá aithne agam air,' arsa Muireann Nussbaum.

Agus chuir sí síos an teileafón.

Bhí seoladh do Mhuireann Nussbaum sa leabhar teileafóin. Agus bhí cónaí uirthi i nGarraí na Sabhaircíní, dhá shráid ón árasán. B'in leid eile ar ndóigh. Seachas Íde, bhí cónaí ar na híobartaigh go léir anseo in eastát na Sabhaircíní.

Ghlaoigh sí ar Mháirtín.

Ach ní raibh sé ag freagairt.

Meán oíche.

Chuir sí uirthi a seaicéad agus amach léi.

Bhí an oíche chomh geal leis an lá. Gealach lán, an spéir breactha le réaltaí. Ciúnas draíochta san eastát. Corr-ainmhí le cloisint ar uairibh. Madra no sionnach ag liú. Agus cad sin? Ceann cait. Bhí siad le cloisint uaireanta, dúradh léi, agus seo ceann ag glaoch anocht. Tuar go raibh an rud ceart á dhéanamh aici.

Bhí na tithe ar fad, na hárasáin ar fad, seachas ceann nó dhó, dorcha.

Dún an Airgid ar a sháimhín só.

Bhrostaigh sí. Bhí sé scanrúil, a bheith amuigh ina haonar ag an am seo den oíche. Bhí a fón ina póca aici, a lámh air. Cosaint ab ea an méid sin. Ghlaofadh sí ar Mháirtín an soicind a tharlódh rud ar bith as an tslí. (Rinne sí dearmad nach raibh sé ag freagairt).

Níor thóg sé deich nóiméad féin teach Mhuireann Nussbaum a shroicheadh.

23, Garraí na Sabhaircíní.

Ghlaoigh sí ar Mháirtín.

Arís, ní raibh freagra.

Chuir sí téacs chuige. Táim ag 23, Garraí na Sabhaircíní. MN.

Ansin bhuail sí ar an doras.

Ar bhealach ní raibh sí ag súil le freagra. Baineadh geit aisti nuair a osclaíodh an doras láithreach.

Bean sna tríochaidí. Í ina fallaing seomra, ní nárbh ionadh. Fallaing seomra bhándearg. Agus rud nach raibh feicthe ag Saoirse le fada, coirníní ina cuid gruaige. Gruaig rua a bhí aici.

'Mise Saoirse,' arsa Saoirse. 'Bhí mé ar an bhfón...'

'In ainm Dé,' arsa Muireann Nussbaum. 'Tá sé tar éis

meán oíche. Cad atá ar siúl agat?'

'Sílim go bhfuil tú i mbaol. I mbaol báis,' arsa Saoirse go tapa.

Tháinig cuma chrosta ar an mbean.

'I mbaol báis? Cén saghas raiméise é seo?'

Rinne an ceann cait scread. Glór ait ab ea é. D'éirigh Muireann as a bheith ag díriú ar Shaoirse agus d'éist leis an gceann cait.

'Níor chuala mé sin cheana,' arsa sí. 'Ní raibh a fhios agam go raibh a leithéid in Éirinn.'

'Is annamh a chloistear iad,' arsa Saoirse.' Baineann siad leis an seansaol. Ach deirtear go bhfuil siad fós sa choill laistiar den tseanmhainistir. Cnoc an Airgid.'

Scrúdaigh Muireann go géar í.

'Tá sé chomh maith agat teacht isteach,' a dúirt sí. 'Ach níl cead agat fanacht. Caithfidh me dul a chodladh. Éirím ag a seacht, tosaím ag obair ag a leathuair tar éis a hocht.'

'Cad a dhéanann tú?' arsa Saoirse go tapa.

'Teagasc. Is múinteoir meánscoile mé. I bPobalscoil na Sabhaircíní. Táim i mo phríomhoide.'

'Bíonn tú an-ghnóthach,' arsa Saoirse.

'Bíonn,' lig sí méanfach. 'Suigh síos.'

Bhí siad sa seomra suí. Seomra mór compordach. Seilfeanna leabhar. Teilifís mhór ar crochadh ar an mballa. Toilg leathair. Iad chomh bán le huachtar.

'Bhuel. Inis dom. Cén fáth go bhfuilim i mbaol báis.'

D'inis Saoirse di faoi Liam Burn, agus faoin amhras a bhí uirthi ina thaobh.

Agus í ag caint, tháinig athrú ar ghnúis Mhuirinne. D'athraigh sí ó a bheith sceiptiúil agus tuirseach go dtí a bheith buartha agus faiteach.

'Stad!' a dúirt sí, nuair a bhí leath den scéal ráite ag Saoirse. 'Tá an ceart agat. Táimse i mbaol.'

D'inis sí a scéal féin.

Bhuail sí le Liam Burn bliain go leith ó shin. Tháinig sé chuici ag lorg oibre. Scríbhneoir agus iriseoir ab ea é, ach bhí céim (céad onóracha) aige sa Ghaeilge, agus an tArdteastas san Oideachas, agus roinnt taithí múinteoireachta. Thug sí post sealadach dó ag múineadh Gaeilge agus Staire.

'Ní fhaca mé CV chomh haisteach i mo shaol,' a dúirt sí. 'Bhí ardmharcanna aige ar gach rud. 600 pointe san Ardteist. Céad Onóracha. Sílim go bhfuil dochtúireacht aige fiú, in ábhar éigin aisteach... Hitis nó rud éigin mar sin. Sanscrit? Ach ar an lámh eile de ní raibh post ceart aige riamh. Post buan.'

'Ach a bheith ina scríbhneoir?'

'Ní thabharfainn post air sin,' arsa Muireann. 'Go háirithe an saghas stuif a scríobhann leithéidí Liam Burn.'

'Cén saghas ábhair é?'

Seachas litreacha ar bhróistí.

'Filíocht. Nach mbeadh ar chumas éinne a thuiscint, chomh casta agus a bhí sé. Scéal nó dhó. Agus, sea, iriseoireacht. Bhí roinnt mhaith alt foilsithe aige anseo is ansiúd. Iriseoir maith is ea é, sílim.'

'Ach ní raibh sé maith go leor chun slí bheatha a dhéanamh as?' arsa Saoirse.

Leath Muireann Nussbaum a lámha. Ní raibh cuma na tuirse uirthi a thuilleadh. Bhí sí faoi lán seoil, agus an scéal seo á insint aici.

'Tá sé deacair d'éinne sin a dhéanamh. Is trua mar tá buanna iontacha aige. Scríobhann sé go cumasach faoi ábhair shuimiúla. Tá sé léannta ar ndóigh. Sílim go bhfuil gach rud ar eolas aige... sin ceann de na fadhbanna a bhaineann leis. Ach tá sé go maith chun ailt a scríobh faoi shean-iarsmaí, faoin tseandálaíocht, rudaí den saghas sin.'

'An ea? Ar scríobh sé faoi na hionaid seandálaíochta thart timpeall anseo?' Cé go raibh an cheist á cur aici, bhí an freagra ag Saoirse sular tháinig sé ó Mhuireann. Ar ndóigh. Scríobh sé alt in ndiaidh ailt faoin scrios a bhí á dhéanamh i nDún an Airgid ar an tírdhreach dúchais. Ar na crainn i nGort na gCeann. Ar an dún ar Bhóthar an Ghearradh. Ar an mainistir. Ar na páirceanna, a bhí ann leis na mílte bliain. De réir Liam Burn, láthair mhór seandálaíochta amháin a bhí sa cheantar ar fad. Agus anois, níorbh ann dó. Bhí Dún an Airgid tógtha ar na hiarsmaí ar fad. Bhí stair na háite tréigthe ar mhaithe leis an dul chun cinn, ar mhaithe leis an saibhreas.

'Sin an dearcadh atá aige siúd, ach go háirithe,' arsa Muireann. 'Tuigim dó cé nach n-aontaím leis. Sraith eile den stair sin is ea sinne, dar liom. Bhíodh daoine anseo sa Nua-Chlochaois. Bhí na Ceiltigh anseo. Bhí na Lochlannaigh anseo. Bhí na Normannaigh anseo. Bhí na Spáinnigh agus na hIodálaigh agus Sir Walter Raleigh féin anseo. Agus d'fhág siad go léir iarsmaí éigin in ndiaidh. Agus anois táimidne anseo, muintir Dhún an Airgid, agus imeoimidne ar ár seal agus fágfaimid iarsmaí inár ndiaidh freisin.'

Níor mhúinteoir maith é Liam Burn, in ainneoin an léinn ar fad a bhí air. Bhí sé mífhoighneach. Agus ní chuirfeadh daltaí Phobalscoil Dhún an Airgid suas leis sin. Thosaigh siad ag magadh faoi. Rinne siad maistíneacht air.

'Tá a fhios agat, an-chiúin, an-chliste. Ní fhéadfainn aon rud a dhéanamh faoi. Ní dhéanaidís an obair bhaile dó. Dá gcoimeádadh sé istigh iad le haistí nó línte a scríobh, ní dhéanaidís sin ach an oiread. Shuídís ansin, sa seomra ranga, go dtí a sé a chlog, ag stánadh air. Ar aon nós an chríoch a bhí leis ná go raibh orm scaoileadh leis.'

Ní dhearna sí a chonradh a athnuachan ag tús an téarma nua. An téarma seo caite. Tús Eanáir na bliana seo.

'Bhí trua agam dó. Ach cad ab fhéidir liom a dhéanamh? Mo dhaltaí an chéad dualgas atá orm.'

'Breathnaíonn sé ortsa mar namhaid, áfach, ní orthu siúd,' arsa Saoirse.

Rinne sí miongháire.

'Mise an príomhoide. Mise an bhean mheánaosta. Mise atá ciontach as gach drochrud a tharlaíonn i bPobalscoil Dhún an Airgid.'

Rinne sí méanfach ach bhí beocht ina súile. Bhreathnaigh sí ar an gclog – clog órga, clog carráiste, a bhí ar an matal.

'Ceathrú chun a haon!'

'*Gosh!*' arsa Saoirse. 'Tá brón orm!'

Níor thug Muireann Nussbaum aird ar bith air sin.

'Tá sé chomh maith againn cupán tae a bheith againn

anois, sula n-imíonn tú abhaile. Ar mhaith leat ceann?'

Ní raibh cupán tae, nó cupán de rud ar bith eile, ólta ag Saoirse le sé huaire an chloig ar a laghad.

'Ba bhreá liom cupán tae,' ar sise.

'Ní bheidh mé ach nóiméad,' arsa Muireann Nussbaum. D'fhág sí an seomra agus chuaigh amach sa chistin.

Bhreathnaigh Saoirse mórthimpeall uirthi, a haird ar na troscáin, na maisiúcháin. Bhí an seomra thar a bheith galánta. Gach rud bán, le blúirí beaga dearga anseo is ansiúd. Próca bán agus rósanna dearga ann. Pictiúr de bhean óg agus gúna dearg uirthi ar bhalla amháin. Gan aon rud eile ar an mballa; stíl íostach. D'oibrigh sé, shíl sí, cé nach raibh sé ag teacht lena rogha phearsanta féin.

Sheas sí chun féachaint ar na leabhair ar sheilfeanna Mhuirinne. Bhí na seilfeanna bán freisin, ach ar ndóigh bhí na leabhair ar an uile dath.

Agus í ag tarraingt imleabhair amháin ón tseilf is ea a chuala sí scread uafásach. Ón gcistin.

Léim a croí le neart eagla.

An amhlaidh go raibh sé anseo? Sa teach?

Tharraing sí a fón as a póca agus théacsáil chomh tapa agus a bhí ar a cumas. SOS. Ní raibh am aici níos mó a scríobh. Ag an soicind sin, d'oscail an doras agus isteach le Liam Burn.

Bhrúigh Saoirse an cnaipe agus sheol an téacs chuig Máirtín.

***

Ag leathuair tar éis a dó dhéag bhí an trí charr garda fós lasmuigh de gheata na páirce ina raibh an carbhán. Ní raibh aon athrú tagtha ar aon rud ach go raibh na gardaí ag éirí an-tuirseach.

'Seo an dualgas is leadránaí ar fad,' arsa Mike lena chompánach. 'Bheith ag faire. Agus a fhios agat nach bhfuil aon rud chun tarlú.'

Bhí an trí charr sin lán de mhéanfach. Méanfach, méanfach, méanfach. Gach cúig nóiméad. Ní raibh cead acu éisteacht leis an raidió fiú, ar eagla go ndéanfadh sé torann a chloisfeadh Liam Burn.

Cén fáth nach dtéann an diabhal a chodladh? Sin an freagra a bhí Máirtín á chur air féin. An solas sin ar lasadh sa seomra suí nó pé rud a thugann tú air i gcarbhán, an oíche ar fad. Níor bhog Liam ón seomra sin le ceithre nó cúig huaire an chloig. Fiú le dul go dtí an leithreas. Mar bhí fuinneog bheag eile, an ceann leis an dallóg air, ag an leithreas. D'fheicfeá an solas ag imeall na dallóige. Ba dhóigh leat.

Leathuair tar éis a dó dhéag.

B'in an sprioc-am.

Ní raibh gunnaí acu. B'in an deacracht. Rinne sé eascaine. Cén fáth nár chuir sé glaoch ar an mBrainse Speisialta? Dá mba rud é go raibh gunna ag Liam Burn bheidís i mbaol.

Ghlaoigh sé orthu anois.

Dúirt siad go mbeadh carr ann i gceann uair an chloig.

OK.

Ach bhí amhras éigin ar Mháirtín.

An solas sin.

An solas aonair sin.

Go tobann, bhuail scanradh uafásach é. An raibh Liam Burn sa charbhán? Ar éirigh leis éalú, i ngan fhios?

Rinne sé cinneadh.

Labhair sé le Mike agus le Seán.

Rachadh seisean go dtí an carbhán, agus bhuailfeadh ar an doras. Dá ndéanfadh Liam ionsaí de shaghas ar bith (ní dúirt sé, má mharaíonn sé mé) thiocfaidís i gcabhair air dá mb'fhéidir. Dá mbeadh gunna aige d'fhanfaidís as an tslí. Ní bheadh sé in ann an *Micra* a úsáid. Ní raibh aer sna boinn. Ní éireodh leis dul rófhada gan ghluaisteán.

'Ní ceart dul isteach,' arsa Mike. 'Tá an baol ann go bhfuil gunna aige.'

'Baol,' arsa Máirtín. 'Ach creidim nach bhfuil, ar chúis éigin.'

Cén chúis?

Toisc go mbeadh leisce ar Liam Burn uirlis chomh nua-aimseartha le gunna a láimhseáil? Ach ní raibh leisce air *Micra* a thiomáint, agus mar sin cén chiall a bhain leis an tuairim sin?

Mar sin féin, isteach leis trí gheata na páirce. Síos tríd an bhféar. Bhí a stocaí tar éis triomú amach agus iad fós á gcaitheamh aige ach anois mhothaigh sé an taise ag úscadh isteach arís. Síos leis. Bhí an carbhán fós geal, agus cé go raibh an ghealach imithe taobh thiar de scamall bhí solas ar lasadh lasmuigh ag Liam, ag soilsiú a ghairdín bhig.

A chroí ina bhéal, chnag sé ar an doras.

Níor fhreagair éinne.

An diabhal.

Chnag sé arís.

Arís, freagra ar bith.

Chnag sé an tríú huair.

Faic.

Chuaigh sé go dtí an fhuinneog agus bhreathnaigh isteach.

Bhí an seomra folamh.

Gach rud mar a bhí níos luaithe san oíche.

An amhlaidh go raibh sé ina chodladh agus an solas ar siúl? Nó an raibh sé ag feitheamh taobh thiar den doras chun Máirtín a ionsaí?

Chuaigh sé timpeall an charbháin. Bhreathnaigh sé isteach tríd an fuinneoga ar fad. Ach is beag rud a d'fhéadfadh sé a fheiceáil. Go dtí gur tháinig sé go dtí an fhuinneog eile, an fhuinneog a bhí ar chúl an tseomra suí. Fuair sé radharc eile ar an áit ón taobh sin den charbhán. Bhí sé in ann a fheiceáil nach raibh an tua san áit ina raibh sé níos luaithe san oíche. Cad a chiallaigh sé sin?

Rud ar bith.

Go raibh sé curtha i bhfolach aige? Go raibh sé ina lámh aige agus é féin i bhfolach áit éigin?

Is ansin a tháinig sé ar an gcúldoras.

An cúldoras.

Bhí dearmad glan déanta aige go raibh cúldoras ann. Mar a bhíonn i ngach teach so-ghluaiste.

Thriail sé é.

Ní raibh sé faoi ghlas.

Go mall, cúramach, chuaigh sé isteach sa charbhán.

Ciúnas.

Bhí eagla an domhain air. Agus ag an am céanna, thuig sé láithreach, ina chroí istigh, nach raibh duine ná deoraí sa charbhán seo.

Níor thóg sé ach nóiméad air é sin a dheimhniú.

Lig sé eascaine.

Agus rith ar ais go dtí na gluaisteáin.

Bhreathnaigh sé ina leabhar nótaí.

Muireann Nussbaum.

23, Garraí na Sabhaircíní.

Chuir sé glaoch ar an mBrainse Speisialta ag rá leo dul ansin agus ní go dtí an carbhán.

Thiomáin sé féin, Mike, agus Seán ar nós na gaoithe go dtí eastát na Sabhaircíní.

Bhí sé ag páirceáil lasmuigh de theach Mhuireann Nussbaum nuair a tháinig an téacs ó Shaoirse.

SOS.

20

Bhí Saoirse agus Máirtín ina suí ag an mbord nua a bhí ceannaithe aici don ionad bia. An bord a bhí déanta go hiomlán as gloine. Shuigh siad ar chathaoireacha daite. Bhí cathaoir bhuí ag Saoirse, agus cathaoir ghorm ag Máirtín. Bhí an bráthair, an t-iasc sin ar a dtugtar iasc an mhanaigh i mBéarla, a thaitin le Saoirse thar aon iasc eile, á ithe acu. *Champagne* a bhí mar dheoch acu an oíche áirithe seo. An ceiliúradh? Bhí siad ag ceiliúradh an bhoird nua agus na cathaoireacha. Agus mar bharr air sin, Oíche Shamhna a bhí ann.

'Sláinte!' arsa Máirtín, agus an buidéal á oscailt aige. Pop!

Lasmuigh, bhí Dún an Airgid lán den phop céanna. POP! POP! POP! Na tinte ealaíne, na tinte cnámha, na tinte. Gártha na bpáistí. Iad gléasta suas mar shióga agus púcaí agus creatlacha agus cailleacha. An spéir lán de thinte ealaíne, ar gach dath faoin spéir. Ar nós cathaoireacha Shaoirse. Buí agus gorm agus uaine agus dearg. Agus órga agus airgead. I gcomórtas leis na réaltaí agus an ghealach. Oíche bhreá ghlan a bhí ann, agus an spéir geal cheana féin, gan chabhair ón ealaín.

'Sláinte!' arsa Saoirse. 'Go mbeirimid beo agus araile agus araile.'

Bhreathnaigh sí amach an fhuinneog, go smaointeach. Ní raibh le feiceáil ach réalta agus tinte ealaíne, iad ag soilsiú na spéire lena ndathanna geala osnádúrtha.

Ar an talamh, ag siúl ó theach go teach, bhí púcaí agus creatlacha agus cailleacha agus dúnmharfóirí.

Bhí leanbh gléasta i gculaith dhubh, aghaidh fidil ghránna air, agus tua mór ina lámh aige, tar éis bualadh ar an doras deich nóiméad ó shin. Ag lorg milseán. Rud a fuair sé.

Bhí tua i lámh Liam Burn an oíche sin, ní raibh ann ach coicís ó shin, nuair a tháinig sé ar Shaoirse i seomra suí Mhuireann Nussbaum. Múinteoir.

Muireann Nussbaum sínte ar urlár a cistine. Leathmharbh. A muineál leathbhriste. Chreid Liam Burn ag an nóiméad sin go raibh an cloigeann bainte di aige, lena thua, go raibh an beart a rinneadh i nGort na gCeann breis is ceithre chéad bliain ó shin comhlíonta aige féin anois. Nó an beart a rinne laochra na seanscéalta. Cú Chulainn. Ferdia. Bhí ceann Mhuirinne gearrtha di aige, lena thua géar. Bhí fuil Mhuirinne ag sileadh ón tua, ar an mbrat bán a bhí ar urlár an tseomra suí, patrún dearg á rianú aige air mar litreacha ar phár.

Bhí a fhios aige go raibh Saoirse sa seomra roimh ré.

Bhí sé tar éis dul i bhfolach sa chófra faoin staighre le huair an chloig nó níos mó, tar éis dó teacht isteach sa teach nuair a bhí an cúldoras oscailte ag Muireann agus an bruscar á chur amach aici.

D'fhan sé. Agus nuair a bhí ar intinn aige teacht amach chun í a mharú, tháinig Saoirse go dtí an doras.

Ansin d'fhan sé tamall eile. Tuigeadh dó nach mbeadh sé ciallmhar tabhairt faoin mbeirt ag an am céanna. Fuair sé an deis a bhí uaidh nuair a tháinig Muireann amach go dtí an chistin. Chuir sé an seomra suí faoi ghlas – rud nár chuala Saoirse, fiú amháin. Rinne sé an cloigeann a bhaint de Mhuireann, mar a shíl sé, agus ansin isteach leis chun deireadh a chur le Saoirse ar an mbealach céanna.

Bhí an tua ardaithe aige, Saoirse ag screadach, nuair a bhris garda isteach sa teach, gunna ina ghlac aige, agus chuir piléar isteach i gcloigeann Liam Burn.

D'éag sé ar an bpointe.

Agus tháinig Muireann Nussbaum slán. Cosúil leis an ridire sa scéal, Bertelac, thóg sí an cloigeann a baineadh di agus chuir ar ais ar a guaillí é.

Nó rinne na dochtúirí sin. Ní raibh tua Liam chomh géar agus a shíl sé, agus tá sé deacair an cloigeann a bhaint de dhuine. Bhí taithí ag na laochra agus ag na sean-saighdiúirí nach raibh ag Liam Burn, file, seandálaí, scoláire.

'Cuirfidh mé ceol ar siúl. Táim ag éirí bréan den torann sin ar fad,' arsa Máirtín.

Chuaigh sé go dtí an tseilf ar a raibh na dioscaí acu. Tharraing sé diosca amach, gan smaoineamh. *Hothouse Flowers.*

Bhí dearmad glan déanta aige go raibh sé aige. Anois a chuimhnigh sé ar an lá ar tugadh an diosca dó, sa bheairic. Orna a fuair é, ó fhear éigin nár aithin sí, agus nár fhág a ainm.

Bhreathnaigh sé ar an diosca.

Amhráin: Liam Ó Maonlaí.

Liam.

'Féach air seo,' thaispeáin sé an diosca do Shaoirse.

'Liam?'

'Leid,' arsa Máirtín. 'Leid nár thuig mé.'

'Conas a thuigfeá é?' arsa Saoirse.

'Cleasaí ab ea é. Liam Burn. Liam ildánach, Liam an cleasaí.'

Fear gléasta i gcóta fada, féasóg air. Liam Burn a shiúil isteach sa bheairic an lá úd, le leid do Mháirtín.

Liam a shiúil isteach i gCúirt an tSionnaigh, faoi éide ban, agus a mheall Íde Nic Urnaí chun a báis.

Liam a thacht Áine Uí Riain, agus a chuir a corp san fharraige.

Chuir sé an diosca ag seinm, os íseal, agus shuigh ar ais ag an mbord.

'Le cúnamh Dé beidh sos againn anois,' ar seisean.

'Tá roinnt mhaith oibre curtha ar athlá agam,' arsa Saoirse. 'Ní bheidh sos agam. Beidh mé faoi bhrú as seo go Nollaig ar a laghad.'

D'ól Máirtín braon *champagne*. Deoch nár thaitin mórán leis. B'fhearr leis leann dubh. Ach ar ndóigh ní raibh cead aige leann dubh a ól agus bráthair á ithe aige. Nó aon rud eile. Fiú amháin ispíní. Agus cén chúis atá leis sin? Go raibh sé ceart go leor fíon nó *champagne* nó fiú amháin beoir gheal a ól le do dhinnéar, ach go raibh sé scannalach leann dubh a ól leis?

Gnásanna na ndaoine.

'Bhuel... sea,' arsa Máirtín. Bhí seachtain curtha in áirithe aige in óstán deas i Lanzerote, don tseachtain roimh Nollaig. Bhí sladmhargadh faighte aige, mar ní bhíonn mórán daoine ag dul ar laethanta saoire an tseachtain áirithe sin. Agus bhí sé chun an cheist mhór a chur i rith na seachtaine sin. In Lanzerote. In áit éigin rómánsach ar an oileán sin. Ar bharr bolcáin, nó i mbialann dheas a bhí cóngarach do bholcán. Bhí a fhios aige gur thaitin ionaid den saghas sin le mná, mar áit chun cleamhnas a dhéanamh. Bhí taighde déanta aige. Rinne formhór na ngardaí eile an gnó seo ar bharr cnoic éigin, nó ar bharr *Tour Eiffel*, nó an *London Eye*. B'in an áit leis an gceist a chur. Ar bharr rud éigin.

Sna harda.

POP!

Phléasc tine ealaíne lasmuigh den fhuinneog.

Léim Saoirse.

'Bhí sé as a mheabhair,' ar sise.

Bhí sé deacair Liam a dhíbirt as a cuimhne. Gan amhras. Duine a bhí tar éis triúr ban a mharú. Laoise Ní Bhroin, leabharlannaí. Cén peaca a bhí déanta aici siúd ina leith? Cheannaigh sí an teach a bhíodh aige ar mhorgáiste ón mbanc. Bhí an banc tar éis deireadh a chur lena mhorgáiste agus athsheilbh a ghabháil air, cé go raibh sé tar éis íoc as le dhá bhliain. Nuair a chaill sé a phost sa scoil, ní raibh ar a chumas coimeád suas leis na híocaíochtaí, agus iad ag méadú in aghaidh na míosa. Cuireadh amach ar thaobh an bhóthair é. Thug Cumann Naomh Uinseann de Pól an carbhán dó go sealadach ach bhí sé ann ó shin i leith. Agus fuair Laoise, an leabharlannaí, an teach ar phraghas íseal go leor, bean ar chuir sé aithne mhaith ina dhiaidh sin uirthi, ag ligean air go raibh sé mór léi.

Bhí an ghráin dearg aige uirthi. Fuair sí a theach. Agus ansin, de réir mar a fuair Saoirse amach, dhiúltaigh sí siúl amach leis.

Agus Íde Nic Urnaí?

Ní dhearna sise ach an rud a rinne Áine Uí Riain. Chuir siad leis an tógáil a bhí ar siúl i nDún an Airgid. Leag siad an dún a bhí cóngarach do charbhán Liam, ar Bhóthar an Ghearradh. Dar leis, bhí siad ag éirí saibhir agus an tír agus an timpeallacht á milleadh acu. Ba é Liam an té a thuig an áilleacht, an tábhacht, cé chomh sainiúil, is a bhí an áit seo. Gort na gCeann. Gort an Ghearradh. Na dúnta, na ráthanna. Leagtha, ar mhaithe leis an tionscnamh nua. An Útóipe a chruthú, an rachmas gan srian. Dún an Airgid.

Agus eisean a bhí fágtha gan faic. Gan díon os a chionn. Ach díon stáin. Gan post. Gan meas an phobail. Gan rud ar bith ach trua agus dímheas.

'Mharódh sé é féin murach go ndearna sibhse é,' arsa Saoirse, ag smaoineamh os ard.

Bhí a fhios ag Máirtín cad air a bhí sí ag trácht. Bhí an

deacracht chéanna aige féin Liam agus Laoise agus na bróistí a dhíbirt as a intinn.

'Tá an ceart agat is dócha,' arsa sé. Bhí an comhrá seo go minic cheana acu. 'Is é an trua nach ndearna sé i dtús báire é. Gan na mná sin ar fad a mharú.'

'Theastaigh uaidh a mharc a fhágáil. A chló a chur ar an bpár bán. Ar an talamh. Ar Dhún an Airgid. Mar a rinne na daoine a thóg an ráth. Nó a scríobh Ogham ar na clocha.'

Bhí sé seo ag dul thar fóir, dar le Máirtín. Bhí slite níos deise le do mharc a fhágáil ná mná a chéasadh agus a mharú. Ar ndóigh, bheadh a mharc fágtha aige. I gcáipéisí na cúirte. Sna nuachtáin. Bhí dhá mhilliún tagairt dó ar an idirlíon. Ní fheadair Máirtín cé chomh fada agus a mhairfidís siúd? An raibh a fhios ag éinne?

Lig Saoirse osna. Bhreathnaigh sí ar na cathaoireacha agus an bord gloine. D'ól sí *champagne.*

'Tá sé deacair gan a bheith ag smaoineamh air an t-am ar fad, nach bhfuil?'

Seo an nóiméad ceart, arsa Máirtín leis féin. An nóiméad síceolaíoch.

I ndáiríre, d'fhéadfadh sé an cheist a chur anois fiú.

Bhí na cúinsí oiriúnach.

Na spéartha geal le réaltaí, le tinte ealaíne.

Súile Shaoirse mar réaltaí gorma.

POP!

'Tá rud éigin le rá agam leat', arsa Máirtín.

'Sea?' arsa Saoirse. 'Cad é sin?'

'Bhí mé ag smaoineamh...'

'Sea?' arsa Saoirse, ag tabhairt spreagadh dó.

'Níl a fhios agam cad é do bharúil faoi seo...'

'Sea?'

Bhreathnaigh sé uirthi. Bhí sí go gleoite. Ní raibh éinne faoin ngrian ab ansa leis.

'Tá bronntanas agam duit!' arsa seisean. 'Ticéid.'

Leath an gáire ar bhéal Shaoirse.

'Táimid ag dul ar saoire ar feadh seachtaine i gceann míosa nó mar sin,' ar sé.

'Go hiontach!' arsa Saoirse. D'athraigh a gnúis. 'Cá háit?'

Bhí suim aici dul go dtí an India. Go dtí an Téalainn. Go dtí Santa Lucia.

'Lanzerote,' arsa Máirtín.

'Ó!' arsa Saoirse. *'Gosh! Right!'*

Bhí sos tamaillín. Ansin, 'Sin go hiontach, a Mháirtín! Lanzerote! Ní raibh mé riamh ann!"

Thug sí póg dó, agus barróg, agus póg eile.

POP! POP! POP! arsa na tinte cnámha, agus na tinte ealaíne, agus na tinte eile, ar fud Dhún an Airgid.